prima plus

Deutsch für Jugendliche

Friederike Jin · Lutz Rohrmann

A2.2

A2.2 | Deutsch für Jugendliche

Im Auftrag des Verlages erarbeitet von
Friederike Jin und Lutz Rohrmann

Redaktion: Lutz Rohrmann, Dagmar Garve
Redaktionsassistenz: Vanessa Wirth

Beratende Mitwirkung: Roberto Alvarez, Michael Dahms, Katrina Griffin, Katharina Wieland, Milena Zbranková

Illustrationen: Laurent Lalo, Lukáš Fibrich (S. 29, 38, 51)

Layoutkonzept: Rosendahl Berlin, Agentur für Markendesign
Technische Umsetzung: zweiband.media, Berlin
Umschlaggestaltung: Rosendahl Berlin, Agentur für Markendesign

4	Hier gibt es eine Audioaufnahme.
V	Hier gibt es eine Videosequenz.
⊕	Hier gibt es Zusatzmaterial auf der Arbeitsbuch-CD.
🎬	Hier schreibst du Texte für dein Portfolio.

www.cornelsen.de

Soweit in diesem Lehrwerk Personen fotografisch abgebildet sind und ihnen von der Redaktion fiktive Namen, Berufe, Dialoge und Ähnliches zugeordnet oder diese Personen in bestimmte Kontexte gesetzt werden, dienen diese Zuordnungen und Darstellungen ausschließlich der Veranschaulichung und dem besseren Verständnis des Inhalts.

Die Webseiten Dritter, deren Internetadressen in diesem Lehrwerk angegeben sind, wurden vor Drucklegung sorgfältig geprüft. Der Verlag übernimmt keine Gewähr für die Aktualität und den Inhalt dieser Seiten oder solcher, die mit ihnen verlinkt sind.

1. Auflage, 2. Druck 2015
Alle Drucke dieser Auflage sind inhaltlich unverändert
und können im Unterricht nebeneinander verwendet werden.

© 2015 Cornelsen Schulverlage GmbH, Berlin

Druck: Firmengruppe APPL, aprinta Druck, Wemding
ISBN: 978-3-06-120649-9

PEFC zertifiziert
Dieses Produkt stammt
aus nachhaltig
bewirtschafteten
Wäldern und
kontrollierten Quellen
PEFC/04-32-0928   www.pefc.de

Das ist prima^plus•

prima^plus• A2.2 ist der vierte Band eines Lehrwerks für Jugendliche ohne Deutsch-Vorkenntnisse, das zu diversen Prüfungen vom Goethe-Zertifikat FIT über das Zertifikat Deutsch bis hin zu den C1-Sprachdiplomen führt.
prima^plus• orientiert sich am Gemeinsamen europäischen Referenzrahmen. Die Bände A2.1 und A2.2 führen zur Niveaustufe A2. Die weiteren Bände führen zu den Niveaustufen B1, B2 und C1.
prima^plus• bietet ein umfassendes, kompetenzorientiertes Lernprogramm an, das den Lernprozess der Schülerinnen und Schüler in den Mittelpunkt stellt und aktives Sprachhandeln fördert.

Das Schülerbuch prima^plus• A 2.2 enthält sieben Einheiten, eine „Kleine Pause" und eine „Große Pause" sowie eine Wortliste im Anhang.
Die Einheiten bestehen aus je acht Seiten. Die bilderreiche Einstiegsseite führt mit ersten Aufgaben zum Thema hin. Es folgen sechs Seiten mit Texten, Dialogen und vielen Aktivitäten, die die Fertigkeiten Hören, Sprechen, Lesen und Schreiben systematisch entwickeln. Im Sinne des europäischen Sprachenportfolios sprechen und schreiben die Schüler und Schülerinnen auch regelmäßig über sich selbst und ihre Erfahrungen.
Besonderen Wert haben wir auf aktuelle landeskundliche Informationen aus dem Alltag in D-A-CH gelegt. Sie sind mit **i** hervorgehoben.

Zu jeder Einheit gibt es einen kurzen Videoclip. Darüber hinaus gibt es bei den Pausen ein Videoangebot mit je drei Szenen, zu dem auf den Videoseiten im Schülerbuch Aufgaben stehen.

prima^plus• bietet mehrere Ebenen der Spracharbeit, die den Aufbau der Kompetenzen unterstützen. Die orangenen Kästen Denk nach helfen dabei sprachliche Strukturen selbst zu erkennen und grammatisches Regelwissen auf-zubauen. In jeder Einheit finden sich Übungen zum Aussprachetraining. Darüber hinaus bietet prima^plus• ein umfassendes Angebot zur Wortschatzarbeit. Aktivitäten zum Aufbau der Lernkompetenz, die mit TIPP gekennzeich-net sind, runden das Programm ab.
Die letzte Seite jeder Einheit fasst im Abschnitt Das kannst du das Gelernte knapp zusammen.
Die Kleine Pause nach Einheit 10 und die Große Pause nach Einheit 14 wiederholen den Lernstoff spielerisch, bieten literarische Ansätze und Seiten zur Arbeit mit den Videoszenen und Landeskundeclips.
Im Anhang finden sich die alphabetische Wortliste und eine Liste der unregelmäßigen Verben.
Das vierfarbige Arbeitsbuch mit Lerner-Audio-CD unterstützt die Arbeit mit dem Schülerbuch. Die CD enthält auch weitere Lese- und Hörtexte und interaktive Übungen, auf die aus dem Schülerbuch und dem Arbeitsbuch mit dem Symbol ⊕ verwiesen wird.
Zur schnellen Orientierung gibt es zu jedem Lernabschnitt im Schülerbuch unter der gleichen Nummer im Arbeits-buch das passende Übungsangebot.
Die Audio-CDs zum Schülerbuch enthalten die Dialoge, Hörtexte und die Übungen zur Aussprache.

Unter www.cornelsen.de gibt es für die Arbeit mit prima^plus• Zusatzmaterialien, Übungen und didaktische Tipps sowie interessante Links.

Der digitale Unterrichtsmanager (UM) ermöglicht es, den Unterricht abwechslungsreich mit dem Whiteboard oder dem Beamer durchzuführen. Der UM enthält das digitalisierte Schülerbuch und integriert eine Vielzahl von Medienangeboten und zusätzliche Materialien.

Wir wünschen viel Spaß beim Deutschlernen und beim Deutschunterricht mit prima^plus• .

Fitness und Sport

Das lernst du

– Über die eigenen Sportaktivitäten sprechen
– Entschuldigungen und Ausreden formulieren
– Über Sportler sprechen
– Über Unfälle sprechen

*Ich mache seit drei Jahren Judo.
Seit ich Judo mache, habe ich
mehr Selbstbewusstsein.*

Sammelt Sportarten in der Klasse. Das Wörterbuch hilft.

Hör zu. Welche Fotos passen?

2–5

Welche Sportarten macht ihr? Welche möchtet ihr gerne ausprobieren? Erzählt.

1 Sportarten: Wortschatz systematisch lernen

a Welches Verb passt zu welcher Sportart?
A nennt eine Sportart und B nennt das Verb.

> Hockey?

> Turnen?

> Man braucht einen Ball.
> Also: spielen.
> Er spielt Hockey.

> Das ist auch ein Verb:
> Ich turne gern.

Man braucht einen Ball.	→ spielen
Man braucht ein „Fahrzeug".	→ fahren
Die Sportart ist ein Verb.	→ das Verb
Die Sportart ist ein Nomen.	→ machen

b Arbeitet in Gruppen. Sammelt ein Wortfeld zu einer Sportart.

spielen · der Siebenmeter · der Ball · **Hockey** · der Schläger · der Schiedsrichter · der Spieler / die Spielerin · der Hockeyplatz · die Halle

TIPP

Wörter kann man sich in Wortfeldern besser merken.

c Sportarten raten – Arbeitet in Gruppen. Beschreibt eine Sportart Satz für Satz, aber nennt den Namen nicht. Nach wie vielen Sätzen erraten die anderen die Sportart?

> Unseren Sport kann man draußen oder drinnen machen.

> Man braucht ein Gerät und ein kleines Ding.

> Profis verdienen in diesem Sport sehr viel Geld.

> Man spielt zu zweit oder zu viert.

draußen – drinnen
in der Halle – auf dem Sportplatz
im Winter – im Sommer – das ganze Jahr
mit Gerät – ohne Gerät
mit Ball – ohne Ball
in der Mannschaft – zu zweit / allein
viel Geld – wenig Geld

2 Interviews zum Thema „Sport"

a Ordnet die Fragen zu zweit. Fragt euch gegenseitig und macht Notizen.

1. Bist du ein
2. Welchen Sport
3. Gehst du manchmal
4. Machst du Sport lieber
5. Welchen Sport siehst du
6. Machst du
7. Welchen Sport machst du

a) in einer Mannschaft oder allein?
b) in der Schule am liebsten?
c) joggen?
d) am liebsten im Fernsehen?
e) in deiner Freizeit Sport?
f) magst du nicht?
g) Sportfanatiker, Sportmuffel oder Sofasportler?

b Präsentiert die Ergebnisse.

> Gregor ist kein Sportfanatiker, aber auch kein Sportmuffel. Er fährt manchmal …

Sportfanatiker, Sportmuffel und Sofasportler

3 Die Bundesjugendspiele: schnell – schneller – am schnellsten

a Lies den Text. Gibt es eine ähnliche Sportveranstaltung bei euch?

Jedes Jahr finden in Deutschland an allen Schulen Bundesjugendspiele statt. Oft kurz vor den Sommerferien.
Die meisten Schulen machen Leichtathletik auf dem Sportplatz (Laufen, Weitsprung, Werfen …). Manche Schulen machen auch Turnen und Schwimmen.
Alle Schüler bekommen am Ende eine Urkunde. Es gibt drei Arten von Urkunden: Die „Teilnehmerurkunde" bekommt jeder. Für die „Siegerurkunde" muss man eine bestimmte Punktzahl erreichen und die „Ehrenurkunde" ist für die sehr guten Sportler und Sportlerinnen.

Siegerurkunde
für die erfolgreiche Teilnahme
Leichtathletik
Turnen
Schwimmen
mit *805* Punkten
erhält
Frauke Petersen
diese Urkunde
TR Raimund Kemper
Unterschrift

6–9 **b** Hör zu. Wie finden Frauke, Lennart, Malte und Anke-Sophie die Bundesjugendspiele?

c Hör noch einmal. Welche Sätze 1–8 sind richtig? Korrigiere die falschen Sätze.

1. Frauke springt weiter als Lennart.
2. Frauke läuft von den Mädchen am langsamsten.
3. Lennart wirft am weitesten in der Klasse.
4. Lennart schwimmt schneller als Anke-Sophie.
5. Malte spielt am liebsten Tennis.
6. Malte wirft nicht so weit wie Frauke.
7. Anke-Sophie läuft am schnellsten.
8. Anke-Sophie tanzt besser als Lennart.

Denk nach		
	Komparativ	Superlativ
schnell	schneller	am schnellsten
weit	weiter	am weitesten
lang	länger	am längsten
groß	größer	am größten
hoch	höher	am höchsten
gern	lieber	am liebsten
viel	mehr	am meisten
gut	besser	am besten

4 Viele Talente in einer Klasse

a Lies das *Denk nach* in 3c. Bilde die Komparative und Superlative von den Adjektiven.

weit werfen/springen
hoch springen
lang tauchen
schnell laufen

schnell rechnen/sprechen
laut sprechen
schön zeichnen/malen
viel tragen

gut Gitarre spielen
gut singen/kochen
gut Geschichten erzählen
gut auswendig lernen

weit springen   *weiter springen*   *am weitesten springen*

b Schreibt in Gruppen Sätze über die Talente in eurer Klasse. Welche Gruppe findet die meisten Talente?

Wer singt am besten? Wer spricht am schnellsten? Wer kann am besten kochen?

5 Wo bleibst du denn?

10 **a** Hört den Dialoganfang. Überlegt: Was ist hier los? Sprecht in der Klasse.

Ich glaube, dass …

Vielleicht …

Wieso?

Felix – na endlich! Wo bist du denn?

11 **b** Hört den ganzen Dialog. Waren eure Vermutungen richtig?

c Ordnet den Dialog und schreibt ihn weiter.
Spielt dann eure Dialoge vor.

● Wieso?

● Hi, Jana! Was gibt's?

● Ups! Auweia! Entschuldige! Das habe ich total vergessen.
Wir hatten heute länger Judotraining. Sorry!

■ Wir hatten heute eine Verabredung.
Ich warte schon eine halbe Stunde.

■ Felix – na endlich! Wo bist du denn?

6 Sprechen üben: Vorwürfe und Entschuldigungen

12–13 **a** Hör zu und sprich nach.

● Warum hast du meinen Hamburger gegessen?
■ Ups, war das dein Hamburger? Tut mir leid.

● Warum hast du meinen Hamburger gegessen?
■ Das war ich nicht. Das war mein Hund.

b Ausreden und Entschuldigungen – Ordne 1–4 und a–d zu.

1. Meine Uhr   a) 15 Minuten Verspätung.
2. Mein Bus hatte   b) geht nicht richtig.
3. Ich konnte   c) dass heute Mittwoch ist.
4. Ich habe gedacht,   d) meinen Schlüssel nicht finden.

c Ein Spiel – Jeder schreibt zwei Zettel. Zettel 1: einen Vorwurf oder ein Problem. Zettel 2: eine
Ausrede oder eine Entschuldigung.
 – Sammelt die Zettel ein und mischt sie.
 – Jeder bekommt einen Vorwurfszettel und einen Ausredezettel.
 – A liest seinen Vorwurfszettel vor. Wer hat die passende Ausrede/Entschuldigung?
 Es kann sein, dass es mehrere Antworten gibt.

7 Der Sportunfall

14 **a** Ein Arm in Gips. Hör das Interview mit Mario. Wo ist der Unfall passiert?

1. Beim Fußballspielen.
2. Beim Basketballspielen.
3. Beim Joggen.

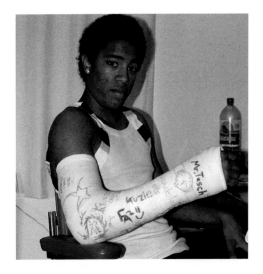

15 **b** Hör den zweiten Teil des Interviews.
Sind die Aussagen richtig (R) oder falsch (F)?

1. Marios Lieblingssportarten sind Judo und Karate.
2. Im Fernsehen sieht er gern Fußballspiele und Basketballspiele.
3. Mario musste einen Monat in der Klinik bleiben.
4. Jetzt hat Mario keine Schmerzen mehr.

c Kurz nach dem Spiel – Bring die vier Kurznachrichten in eine sinnvolle Reihenfolge.

☹☹☹
So ein Pech!!!
Was ist passiert?
Durfte er nicht weiterspielen?

A

Wie war das Spiel? Ich war beim Zahnarzt.

B

Mario gefoult: Arm gebrochen! Musste in die Klinik!

C

59:61 verloren ☹ Die letzten 3 Minuten ohne Mario.

D

♪ 16 **d** Phonetik: dreimal „j". Hör zu und sprich nach.

1. ja – jetzt – Judo – das Jahr
2. joggen – die Jeans
3. jonglieren – der Journalist

e Hattest du schon mal einen Unfall? Erzähle oder schreib einen kurzen Text.

Wann? Wo?	Was ist passiert?	Ergebnis
beim Joggen / beim Judo	Ich bin gefallen/gestürzt.	haben
bei einer Fahrradtour	Ich bin vom Rad/Pferd gefallen.	Schmerzen/Kopfweh/…
in der Schule	Mein/Meine …	müssen
in der Turnhalle	(Fuß, Bein, Knie, Arm, Hand,	ins Krankenhaus / zum Arzt …
im Schwimmbad	Kopf, Schultern, Finger …)	einen Gips tragen
auf dem Weg zum/zur …	war/waren verletzt.	eine Woche liegen
	hat/haben wehgetan.	nicht dürfen
	war gebrochen.	trainieren
		Sport machen

Ich hatte bei einer Fahrradtour einen Unfall. Ich bin vom Rad gefallen. Ich hatte Schmerzen und konnte nicht weiterfahren. Mein Knie …

8 Rekorde

v **a** Lies die drei Texte schnell und ordne die Fotos zu.

Mario Götze (*1992) | Mit 3 Jahren hat der kleine Mario schon Fußball gespielt. 2007 war er schon in der Jugendnationalmannschaft. 2009 ist er dann zu Borussia Dortmund gekommen, 2011 und 2012 war Dortmund der beste deutsche Verein und Götze hat mit seiner Mannschaft die Meisterschaft gewonnen. 2010 hat er zum ersten Mal in der Nationalmannschaft gespielt. Er war der jüngste Nationalspieler im deutschen Team seit 66 Jahren. Nur Uwe Seeler, die Fußballlegende, war bei seinem ersten Einsatz 1954 ein paar Tage jünger. 2013 ist er für 37 Mio. Euro zum FC Bayern München gewechselt und war der teuerste deutsche Spieler. Jetzt spielt er bei Bayern, einem der erfolgreichsten Clubs der Welt. Beim Endspiel der WM 2014 hat er das 1:0 geschossen. **1**

Gianina Ernst (*1998) | Die Deutsch-Schweizerin ist schon mit fünf Jahren Ski gefahren. Sie ist eine Schanze hinuntergefahren und dann viele Meter durch die Luft geflogen. Skifahren liegt bei ihr in der Familie. Ihr Vater war ein bekannter Skispringer, ihre Mutter eine Langläuferin. Bei ihrem ersten Einsatz in einem Skisprung-Weltcup hat sie so- fort den 2. Platz geholt. Das war 2013 in Norwegen. Eine Riesenüberraschung und gleichzeitig die Qualifikation für die Olympischen Spiele in Sotschi 2014. Dort war sie mit 15 Jahren die jüngste Teilnehmerin. Sie hat schon jetzt eine sehr gute Technik, ihr weitester Sprung bis jetzt war 112 Meter. **2**

Sebastian Vettel (*1987) | Sebastian Vettel ist schon als kleines Kind erfolgreich Kartrennen gefahren. 2003, mit 16 Jahren, ist er in den Formelsport eingestiegen und hat 2004 mit 18 Siegen in 20 Saisonläufen einen Rekord aufgestellt. 2010 hat er die Weltmeisterschaft gewonnen und war der jüngste Weltmeister. Er ist mit Michael Schumacher der bekannteste deutsche Rennfahrer. 2011, 2012 und 2013 war er vier mal hintereinander Weltmeister. Er hat also den Titel viermal nacheinander gewonnen. In seiner Karriere hat Sebastian Vettel viele Rekorde aufgestellt: 2013 hatte er die meisten Grand-Prix-Siege und die längste Siegesserie in einer Saison. Seit 2015 fährt er für Ferrari. **3**

b Zu wem passen die Zahlen? Warum?

2   3   15   16   37   1987   2004   2012   2013

c Lies die Texte noch einmal und notiere die Ausdrücke mit Superlativ. Sammelt an der Tafel.

der bekannteste ... Rennfahrer

d Schreibt Fragen zu den Texten. Fragt in der Klasse.

> In welchem Jahr ...?

> Wann hat Sebastian Vettel mit dem Rennfahren angefangen?

> Wer war 2013 in Norwegen die jüngste Teilnehmerin?

Denk nach

Superlativ vor dem Nomen

der teuerste Sportler
die jüngste Sportlerin
das schnellste Auto
die teuersten Pferde

Superlative vor dem Nomen haben die normalen Adjektivendungen.

Kennst du den teuersten deutschen Fußballspieler?
2013 war der teuerste deutsche Spieler ...

9 Gehirnjogging – der etwas andere Sport

a Lies den Text über Konstantin Skudler.

Konstantin Skudler hat schon früh sein Talent gezeigt. Schon mit vier Jahren konnte er lesen und rechnen und mit 10 Jahren hat er die Gedächtnisweltmeisterschaft in seiner Altersklasse gewonnen. In nur 30 Minuten hat er die Reihenfolge von 513 Nullen und Einsen auswendig gelernt.

Ich kann mir die Zahlen mithilfe von Bildern merken. Die einzelnen Bilder sind eine Route. Die forme ich dann in eine Geschichte um.

b Mach die zwei Übungen. Wie viele Zahlen und Wörter kannst du lernen?

„Zahlensprint"
Du hast fünf Minuten Zeit.
Lerne die folgenden 20 Zahlen.

„Wörterlauf"
Du hast fünf Minuten Zeit. Lerne die folgenden 20 Wörter.

c Wie habt ihr die Zahlen und Wörter gelernt? Berichtet in der Klasse.

d Hör die Minigeschichte. Wie heißt der Tipp von den Weltmeistern? Ordne die Wörter.

e Funktioniert der Tipp? Was meint ihr?

TIPP

So lernt man die 20 Wörter am besten: eine – mit – Geschichte – Wörtern – Mach – den

Projekte

A Stelle einen berühmten Sportler vor.

B Präsentiere deine Lieblingssportart.

C Präsentiere eine ungewöhnliche Sportart.

Fingerhakeln ist ein berühmter Sport in Bayern.
Es gibt sogar deutsche Meisterschaften.

Über die eigenen Sportaktivitäten sprechen

Am liebsten spiele ich Basketball mit meinen Freunden.

In der Schule mache ich am liebsten Turnen. Das kann ich am besten.

Im Fernsehen sehe ich am liebsten Formel 1. Ich bin ein Sofasportler.

Entschuldigungen formulieren

Tut mir leid, ich musste meiner Mutter in der Küche helfen.

Entschuldigung, mein Bus hatte Verspätung.

Über Unfälle sprechen

Er ist vom Fahrrad gefallen. Seine Hand war gebrochen.

Er durfte drei Wochen keinen Sport machen.

Sie ist beim Skifahren gestürzt. Sie hatte Kopfschmerzen und musste eine Woche liegen.

Über Sportler sprechen

Er ist im Moment der bekannteste deutsche Rennfahrer.

Sie war die jüngste Teilnehmerin bei Olympischen Spielen.

Er spielt beim erfolgreichsten deutschen Fußballclub.

Außerdem kannst du ...

... Texte über berühmte Personen verstehen.

... Kurzbiografien schreiben und vortragen.

Grammatik   kurz und bündig

Komparativ und Superlativ

	Komparativ	Superlativ
schnell	schneller	am schnellsten
weit	weiter	am weitesten

Manchmal mit Umlaut

groß	größer	am größten
jung	jünger	am jüngsten
alt	älter	am ältesten
hoch	höher	am höchsten

Besondere Formen

gern	lieber	am liebsten
viel	mehr	am meisten
gut	besser	am besten

Sie spricht am meisten!

Er spricht am schnellsten und am lautesten.

Superlativ vor dem Nomen

Superlative vor dem Nomen stehen mit dem bestimmten Artikel. Sie haben die Adjektivendungen.

Nominativ	Kofi ist **der schnellste** Schwimmer in der Klasse.
	Lea und Lars sind **die besten** Tänzer.
Akkusativ	Mario hat **den besten** Kopfhörer und hört **die interessanteste** Musik.
Dativ	Tobi fährt mit **dem schnellsten** Fahrrad.

Unsere Feste

Das lernst du

- Nach Informationen fragen
- Zustimmen und widersprechen
- Gemeinsame Aktivitäten planen
- Texte über Feste verstehen und schreiben

Sieh dir die Bilder an und hör zu. Zu welchen Bildern passen die Hörszenen? `18`

das Schulfest – das Volksfest – der Karneval – Ostern

Sylvia, Tina, Niklas und Orkan sprechen über Feste. Warum ist ihr Fest für sie jeweils
am wichtigsten? `19`

Welches Fest ist für dich besonders wichtig und warum?

Ein Volksfest

a Lies den Text und beantworte die Fragen 1–8.

| E-Mail | Eingang | Entwürfe | ⇨ Senden |

München, 23. September

Hi, Tobi, wir sind in München auf dem Oktoberfest. Das ist supertoll! Schade, dass du nicht dabei bist. Die „Wiesn" (so nennen die Leute hier das Fest, weil es auf der Theresienwiese stattfindet) ist das größte Volksfest der Welt. Letztes Jahr waren fast 7 Millionen Leute hier. Die Achterbahn ist Wahnsinn und der Free-Fall-Tower auch. Wir trinken ja keinen Alkohol, aber die Leute hier trinken umso mehr. Und das ist teuer: über 10 Euro für einen Liter Bier! 7 Euro zahlt man für Mineralwasser. Ich weiß nicht, wie die Leute das bezahlen. Das Wetter ist super, es ist warm und sonnig. Bei unserem nächsten Deutschlandbesuch gehen wir zum „Cannstatter Wasen" in Stuttgart. Der ist auch super, haben wir gehört, und dann musst du unbedingt mitkommen!

Bis bald, Sylvia und Aaron

1. Wie viele Leute sind letztes Jahr zum Oktoberfest gekommen?
2. Wie ist die Achterbahn?
3. Wann ist das Oktoberfest ungefähr?
4. Ist das Oktoberfest sehr groß?
5. Wie war das Wetter?
6. Sind die Getränke teuer?
7. Wo gibt es ein anderes großes Volksfest?
8. Wie finden Sylvia und Pavel das Fest?

b Indirekte Fragen – Ergänze das *Denk nach*.

Denk nach	
W-Frage	**Indirekte Frage (W-Frage)**
Wo sind Sylvia und Aaron zurzeit?	Kannst du mir sagen, wo Sylvia und Aaron sind?
Was ist das Oktoberfest?	Wer kann mir sagen, w…?
Ja/Nein-Frage	**Indirekte Frage (Ja/Nein-Frage)**
Sind die Getränke teuer?	Kannst du mir sagen, ob die Getränke teuer sind?
Kostet Mineralwasser auch so viel?	Wer kann mir sagen, ob …

c Schreib die Fragen aus a als indirekte Fragen.

Kannst du mir sagen, … ?   Wer kann mir sagen, …?

2 Phonetik: w und b

♪ 20

a Hör zu und sprich nach.

Wir trinken kein Bier.
Was ist das Beste?
Wer will Bratwürste braten?
Die Achterbahn ist Wahnsinn.

b Schreibt Sätze mit w- und b-Wörtern.
Lest sie vor. Die anderen müssen nachsprechen.

Wir brauchen Wasser und Butter.

Wir brauchen Wasser und Butter.

Wir brauchen W…

3 Janeks Blog

a Ergänze die Fragen und schreib sie ins Heft.

wer – wie – was – was – wann – wie viel – wie viele – wie lange – sind – ist

A Das Schulfest

1. *wie* … war das Schulfest?
2. Bis um *wie viel* … Uhr ist das Schulfest gegangen?
3. *was* … haben die Schüler präsentiert?
4. *wer* … hat beim Schulfest Musik gemacht?
5. *sind* … die Eltern auch zum Schulfest gekommen?

B Der Karneval in Köln

1. *wie* … ist der Karnevalszug?
2. *wie viele* … Musiker gibt es?
3. *was* … ist das Beste?
4. *wie viele* … Süßigkeiten gibt es?
5. *ist* … der Karnevalszug in Köln sehr groß?

b Lies den Text und beantworte die Fragen aus 3a.

Janeks Blog   ⁺Kommentar   Suchen   ⇨ **Startseite**

Das **Schulfest** in Ladenburg kurz vor den Sommerferien war klasse. Es hat um zwei Uhr nachmittags angefangen und war erst um 12 Uhr nachts zu Ende. Vorher waren die Projekttage und beim Schulfest haben alle Gruppen ihre Projekte präsentiert. Die Eltern haben Salate und Kuchen mitgebracht und auf dem Fest verkauft. Die Schule hat eine tolle Band: die Schüler-Lehrer-Band. Sie haben ganz unterschiedliche Musik gespielt. Mal Rock für die Eltern und dann Sachen für Jugendliche. Man konnte sogar Lehrer tanzen sehen. Das war lustig. Einige Lehrer tanzen echt gut.

Der Höhepunkt vom **Karneval in Köln** ist der Rosenmontagszug. Über 12000 Menschen und viele Karnevalswagen nehmen daran teil. Es gibt auch viel Musik. Ungefähr 4000 Musiker spielen Karnevalslieder. Die Leute sind sehr fröhlich und tanzen zur Musik. Die meisten sind verkleidet. Aber das Beste sind die Süßigkeiten. Von den Karnevalswagen wirft man Süßigkeiten zu den Zuschauern. Es sind etwa 150 Tonnen. Davon 700 000 Tafeln Schokolade.

c Lest das *Denk nach* und schreibt indirekte Fragen.

Wer weiß, wann das Schulfest in Ladenburg war?

d Tauscht die Zettel und fragt in der Klasse.

Wer weiß, …?

Wisst ihr …?

Wissen Sie …?

Verb	wissen
ich	weiß
du	weißt
er/es/sie/man	weiß
wir	wissen
ihr	wisst
sie/Sie	wissen

4 Das stimmt – das stimmt nicht.

a Welche Feste sind das? Ordnet die Wortgruppen den Fotos zu.

Ostern	Weihnachten	Geburtstag	Hochzeit
das Osterei	der Tannenbaum	der Geburtstagskuchen	der Bräutigam
der Osterhase	das Lebkuchenhaus	die Kerzen	die Braut
	die Weihnachtsplätzchen		die Trauung

b Du hörst drei Lieder. Zu welchen Festen passen sie?

c Vier Aussagen zu Festen. Ordne 1–4 und a–d zu. Hör dann die Aussagen.

1. ● Zur Hochzeit lädt man in den deutsch-sprachigen Ländern alle Verwandten und Freunde ein. Meistens sind es mehr als 200 Personen.

2. ● Der Geburtstag ist sehr wichtig. Besonders den 18. und die runden Geburtstage feiern viele groß.

3. ● Alle Deutschen lieben den Karneval.

4. ● Ich finde, dass Weihnachten ein sehr schönes Fest ist.

a) ■ Ja, das stimmt, aber ich finde Ostern auch schön. Ich suche gerne Ostereier.

b) ■ Nein, das ist falsch. Die Feiern sind meistens viel kleiner als in anderen Ländern.

c) ■ Ich denke, das ist richtig.

d) ■ Nein, das stimmt so nicht. Viele lieben Karneval, aber genauso viele finden ihn blöd.

d Schreib vier Aussagen über Feste bei euch. Zwei „richtige" und zwei „falsche".
Lest vor und reagiert auf die Aussagen wie in c.

☺
Das ist richtig.
Ich denke, das ist richtig.
Das stimmt.

☹
Das stimmt (so) nicht.
Das ist falsch.
Unsinn! ...
Das glaube ich nicht. Ich denke, dass ...

Der Schulanfang ist bei uns das wichtigste Fest.

Was? Das glaube ich nicht! Ich denke, dass ... wichtiger ist.

5 Sprechen üben: widersprechen

23 **a** Hör zu und entscheide.
Wie widersprechen sie:
energisch oder vorsichtig?

1. Das stimmt so nicht, es gibt …
2. Ich denke, das ist richtig.
3. Nein, das ist falsch.
4. Ja, das finde ich auch.

b Sprich die Sätze einmal energisch und einmal vorsichtig.

c Sucht euch neue Themen aus (Schule, Freizeitangebot am Ort …)
und arbeitet noch einmal wie in 4d und 5b.

> Das stimmt so
> nicht, wir haben doch
> viele AGs.

> Unsere Schule ist langweilig.

6 Über Feste berichten

a Lies die E-Mail einer Brieffreundin von der deutschen Schule in Santa Cruz (Bolivien) und schreib
Fragen mit den folgenden Fragewörtern. Fragt und antwortet.

Wer – Wann – Wo – Wie – Was

| **E-Mail** | **Eingang** | **Entwürfe** | ⇨ **Senden** |

Hallo!

Du hast mich gefragt, was bei uns das wichtigste Fest ist? Keine Frage, der Karneval. Bei uns ist der Karneval im
Sommer und es ist sehr, sehr heiß. Zwischen 30 und 40 °C sind normal.
Unsere Schulferien gehen bis Ende Januar und dann ist bald das Karnevalswochenende. Am Samstag gibt es den
großen Karnevalszug. Er ist fast so schön wie der Karnevalszug in Rio de Janeiro. ☺
Und dann gibt es überall Feste und Partys und Musik auf der Straße. Man darf in diesen Tagen keine guten Kleider
anziehen, denn es ist eine Tradition, dass man mit Wasser und zuletzt sogar mit Farbe wirft. Alle sehen dann ganz
bunt aus. Aber auch die Häuser in der Altstadt und die Autos werden bunt. Schreib mir doch, was bei dir das wichtigste Fest ist. Hast du auch Fotos?

Liebe Grüße
Sara

JPEG

b Lies zuerst die Tipps. Beantworte dann die E-Mail:
Berichte über ein Fest aus deiner Stadt / deinem
Land.
Schreib …
– wann das Fest ist,
– wie lange es dauert,
– was es zu essen/trinken gibt,
– was die Leute machen,
– wie es dir gefällt.
Schreib 50 bis 100 Wörter.
Vergiss die Anrede am Anfang und den Gruß
am Schluss nicht.

TIPPs zum Schreiben

Beachte diese vier Schritte beim Schreiben:
1. Text planen: Notiere Stichwörter.
2. Text planen: Ordne deine Stichwörter.
3. Text schreiben.
4. Text korrigieren: Lies deinen Text dreimal:
a) Stehen die Verben richtig?
b) Groß- und Kleinschreibung?
c) Sonstige Rechtschreibung:
i/ie – e/ee/eh – s/ss/ß – m/mm – n/nn

7 Was tun?

a Lesestrategie: selektives Lesen. Lies 1–6 und das Programm.
Suche für 1–6 eine passende Veranstaltung.

1. Charleen findet Motorrad-Shows super.
2. Svenja liebt Märkte.
3. Hilal fragt, wo es ein Straßenfest gibt.
4. Konstantin findet Politik interessant und diskutiert gern.
5. Ann-Kathrin möchte mal wieder in eine Open-Air-Disco.
6. Georg möchte eine Fahrradtour machen,
   vielleicht mit anderen zusammen.

Mein Tipp:
Arbeite ohne Wörterbuch! Du musst nicht jedes Wort verstehen.

Feste in der Region Rhein-Main am Wochenende

Mittelalterspectaculum · Oppenheim · 23.–24. Mai

Zur Feier des 1000-jährigen Marktrechts findet in Oppenheim einer der schönsten mittelalterlichen Märkte statt. Mit einem Kulturprogramm und Live-Musik bis spät in die Nacht.
www.phantasia-historica.de

 A

Mainfest · 24. Mai

Am Fluss warten über 70 Schausteller mit modernen Attraktionen (Riesenrad, Free-Fall-Tower …) auf die Gäste. Spannendes Programm mit Musik für Jung und Alt. Ein Laufwettbewerb, Fahrradtouren und ein Feuerwerk ergänzen das Fest.

 B

Quellenfest · Bad Vilbel · 25. Mai

Frühlings- und Straßenfest mit verkaufsoffenem Sonntag. Großes Rahmenprogramm mit „Krönung der Quellenkönigin" und Live-Musik.
www.bad-vilbel.de. C

Open-Ohr-Festival · Mainz · Musik, Theater, Diskussion · 23.–24. Mai

Das Jugendkulturfestival bietet 5000–7000 jugendlichen Besuchern die Gelegenheit, intensiv aktuelle politische Themen zu diskutieren. www.openohr.de. D

Alteburger Markt · Idstein · 24. Mai

Traditioneller Markt (16. Jahrhundert) im alten Römerkastell. Bis zum späten Abend feiern Jung und Alt bei Bratwurst, Bier, Wein und guter Laune. E

Folklore- und Altstadtfest · Büdingen 24.–25. Mai

Mit Open-Air-Konzert in der historischen Altstadt. Eintritt frei.

 F

Magic Bike · Rüdesheim · 23.– 25. Mai

Internationales Motorradtreffen. Live-Musik, Motorrad-Parade, Motorrad-Stunt-Show, US-Car-Show und Feuerwerk.

 G

10. Schlossfest · Darmstadt · 24. Mai

Musik auf vier Live-Bühnen + Disco-Area – rund 20 Bands spielen Musik von Rock bis Rap.

 H

b Welche Verstaltungen findet ihr interessant? Warum?

Ich finde das Schlossfest interessant, weil …

8 Sich verabreden

24–25 **a** Du hörst zwei Dialoge. Wohin gehen die Jugendlichen?

b Hör Dialog 1 noch einmal und kreuze an.

1. Was machen Till und Ben am Freitag?
   - a Sie gehen zu einem Fest.
   - b Sie spielen in einer Band.

2. Das Schlossfest in Darmstadt ist ...
   - a am Freitag ab 16 Uhr.
   - b am Samstag.

3. Wann gehen Till und Ben zum Fest?
   - a Um 16 Uhr.
   - b Gegen 20 Uhr.

c Hör Dialog 2 noch einmal und kreuze an.

1. Jo möchte am Freitag ...
   - a zu einer Motorradshow.
   - b zu einer Party gehen.

2. Mia ...
   - a mag keine Mototräder.
   - b hat am Freitag keine Zeit.

3. Am Samstag hat Mia ...
   - a am Nachmittag Zeit.
   - b den ganzen Tag Zeit.

d Übt den Dialog zu zweit.

- ● Willst du am Freitag zur *Magic Bike* mitkommen?
- ■ Ich glaube, nicht, ich habe keine Lust.
- ● Warum kommst du denn nicht mit?
- ■ Weil ich Motorräder blöd finde.
- ● Und was machst du am Samstag?
- ■ Wollen wir zum Mainfest gehen?
- ● Ja, gerne, wie lange hast du Zeit?
- ■ Ich habe ganzen Tag Zeit.
- ● Super, dann können wir ja um 11 bei der Fahrradtour mitmachen.
- ■ Klar, klasse Idee. Und danach gehen wir auf den Free-Fall-Tower.
- ● Und ich will aufs Riesenrad. Ich liebe Riesenräder! Ich hole dich um zehn ab.
- ■ Ja, klasse, bis Samstag dann.

e Bereitet Stichwörter für eigene Dialoge vor und spielt sie.

Wollen wir nach ... zum/zur ...?	Ich will zum/zur nach ... gehen.
Was wollen wir am Wochenende machen?	Einverstanden.
Wann willst du gehen?	Ich habe keine Lust.
Wie lange hast du Zeit?	Ich mag nicht / liebe ...
Was gibt es da?	Nein, da komme ich nicht mit.
Weißt du, wann/ob ...?	Dann gehen wir lieber ...

Projekt

Feste in Deutschland, Österreich und der Schweiz oder Feste bei euch:

Hafengeburtstag Hamburg
Basler Fasnacht
Konstanzer Seenachtfest
Wiener Wiesn
Ski-Openings ...

Basler Fasnacht

Hafengeburtstag

Arbeitet in Gruppen. Sucht euch ein Fest aus, sammelt Informationen und Bilder und stellt das Fest der Klasse vor.

Nach Informationen fragen

Kannst du mir sagen, wann dieses Jahr Ostern ist?

Weißt du, wann wir die Zeugnisse bekommen?

Wer weiß, wie man in Deutschland Hochzeit feiert?

Kannst du mir sagen, ob die Getränke teuer sind?

Zustimmen und widersprechen

Ich finde, dass Weihnachten ein sehr schönes Fest ist.

Ja, das finde ich auch.

Das ist richtig.

Ich denke, das ist nicht richtig.

Die Schweizer feiern Geburtstag immer mit 200 Gästen.

Das glaube ich nicht.

Das stimmt (so) nicht.

Das ist falsch.

Gemeinsame Aktivitäten planen

Was wollen wir am Wochenende machen?

Wann willst du gehen?

Wie lange hast du Zeit?

Wollen wir nach … zum/zur …?

Was gibt es da?

Weißt du, wann/ob …?

Ich will zum/zur … nach … gehen.

Einverstanden.

Ich habe keine Lust.

Ich mag nicht … / Ich möchte nicht so gerne …

Nein, da komme ich nicht mit.

Dann gehen wir lieber …

Außerdem kannst du …

… Blogs über Feste in den deutschsprachigen Ländern verstehen.

… einen Text über Feste in deinem Land schreiben.

… Informationen in einem Veranstaltungskalender finden.

Grammatik   kurz und bündig

Indirekte Fragen

W-Frage	Indirekte W-Frage
Wo sind Sylvia und Pavel zurzeit?	Wer weiß, **wo** Sylvia und Pavel zurzeit **sind**?
Was ist der Cannstatter Wasen?	Kannst du mir sagen, **w**…?
Wann fängt das Fest **an**?	Hast du gehört, **wann** das Fest **anfängt**?
Wer kommt zum Konzert **mit**?	Wer weiß, **wer** zum Konzert **mitkommt**?

Ja/Nein-Frage	Indirekte Ja/Nein-Frage
Gibt es in Stuttgart ein Volksfest?	Weißt du, **ob** es in Stuttgart ein Volksfest **gibt**?
Kommt Leon auch zum Open Air?	Weißt du, **ob** Leon auch zum Open Air **kommt**?

wissen

ich	weiß
du	weißt
er/es/sie/man	weiß
wir	wissen
ihr	wisst
sie/Sie	wissen

Ich weiß, dass ich nichts weiß!

Austausch

Das lernst du

- Über Ängste sprechen, jemanden beruhigen
- Länder vergleichen
- Sagen, wohin man im Zimmer etwas tut
- Verständigungsprobleme klären
- Notizen für einen Bericht verstehen

Ordne die Ausdrücke den Fotos zu. Sammelt noch mehr Wörter zu den Bildern.

Fahrrad statt Schulbus – in Deutschland gibt es keine Schuluniformen –

das Essen ist ganz anders – die Familien sind größer/kleiner als bei uns

Du hörst drei Interviews. Welche Fotos passen zu welchem Interview?

26–28

1 Alles ist anders.

26–28 **a** Hör die drei Interviews noch einmal und notiere die Informationen.

1. Wo haben sie einen Austausch gemacht? /
   Wohin wollen sie gehen?
2. Wann? / Wie lange?
3. Was ist anders?
4. Was ist gut?
5. Was ist ein Problem?

Katja, 15

Joscha, 16

Miriam, 16

b Lies das *Denk nach* und ergänze die Sätze 1–9.

Es gibt keine Kartoffeln,	sondern Reis.
Bei uns tragen wir keine Schuluniformen,	sondern normale Kleidung.
Ich fahre nicht mit dem Fahrrad zur Schule,	sondern mein Gastvater bringt mich mit dem Auto.
Der Austausch war nicht nur schön,	sondern auch sehr interessant.

Katja erzählt:

1. Der Verkehr ist nicht geordnet, sondern …
2. Von der Schule nach Hause kann sie nicht mit dem Fahrrad fahren, sondern …
3. Sie braucht für den Schulweg nicht zehn Minuten, sondern …
4. Mittags isst sie nicht zu Hause, sondern …

Joscha erzählt:

5. Joschas Gastfamilie war nicht klein, sondern …
6. Am Wochenende war es nicht ruhig, sondern …
7. Er war nicht nur in Chile, sondern auch …

Miriam erzählt:

8. Miriam bleibt nicht ein Jahr in Kapstadt, sondern …
9. Sie darf in der Schule nicht anziehen, was sie will, sondern …

2 Deutschland und euer Land.

Vergleicht euer Land mit Deutschland.

Verkehr
Wohnen
Freizeit
Essen
Schule
Klima/Wetter

Bei uns gibt es nicht so viel/viele …
Bei uns kann man nicht …, sondern man muss …
Das Essen in … ist … genauso … wie …
In … ist es nicht nur im … warm/kalt, sondern auch …
Unser Land ist größer/wärmer als Deutschland.
Der Sommer ist bei uns viel länger/kürzer als in …
In … gibt es die schönsten/größten/besten …

3 Mach dir keine Sorgen!

29 **a** Sprechen üben – Hört das Beispiel.
Ordnet dann Sorgen und Beruhigungen
zu und übt zu zweit.

Vielleicht verstehe ich die Leute nicht.

Mach dir keine Sorgen. Die helfen dir dort sicher.

Sorgen	Beruhigungen
1. Vielleicht verstehe ich die Leute nicht.	a) Das kannst du bestimmt mit deinem Austauschpartner besprechen.
2. Hoffentlich finde ich den Weg zur Schule.	b) Mach dir keine Sorgen. Die helfen dir sicher.
3. Ich habe Angst, dass ich alles falsch mache.	c) Du schaffst das schon. Und wenn du mal einen Fehler machst, das macht doch nichts.
4. Was mache ich, wenn mir das Essen nicht schmeckt?	d) Du kannst ja Leute fragen. Du kannst doch die Sprache. Du gehst doch bestimmt erst mit deinem Austausch-partner zusammen. Das ist bestimmt kein Problem.

b Formuliert eigene Sorgen und Beruhigungen. Spielt Dialoge wie in a.

4 Linda möchte ins Ausland gehen.

a Bewerbungsformular – Lies und antworte auf die Fragen mit wenigen Wörtern.

1. Warum will Linda einen Schüleraustausch machen?
2. Wie soll ihre Gastfamilie aussehen?

b Füllt das Formular ohne euren Namen aus.

c Ratespiel: Sammelt die Formulare ein und mischt sie und lest sie vor. Wer hat was geschrieben?

Name/Geburtsdatum/Klasse
Linda Peters/18.2.2002/10b

Wer hatte die Idee für einen Schüleraustausch?
Meine Freundin hat einen Austausch gemacht. Das war eine tolle Erfahrung. Jetzt möchte ich auch ins Ausland gehen. Meine Eltern finden die Idee auch gut.

Beschreib deine Familie.
Ich lebe mit meiner Mutter und meinen zwei Brüdern zusammen. Stefan ist 9 und Lukas 14 Jahre alt. Meine Eltern sind geschieden. Ich bin jedes zweite Wochenende bei meinem Vater.

Beschreib deine ideale Gastfamilie (kleine Kinder, große Kinder, Haustiere, in der Stadt, auf dem Land ...).
Ich möchte gerne eine Familie mit Kindern in meinem Alter. Am liebsten möchte ich eine Gastschwester. Haustiere mag ich, aber das ist mir nicht so wichtig. Ich möchte nicht so gerne auf dem Land wohnen, lieber in einer mittelgroßen Stadt.

Was sind deine Hobbys?
Musikhören, Tanzen, Schwimmen.

Was denkst du, wie kannst du im Gastland Freunde finden?
Ich möchte offen sein und mit vielen reden, wir können zusammen Musik hören und tanzen gehen, dann kann man gute Freunde finden.

Was ist für dich besonders wichtig?
Ich möchte nicht viel allein sein. Ich mag gerne mit Menschen zusammen etwas machen.

Unterschrift
Linda Peters

5 Linda in Shanghai – die Wohnung der Gastfamilie

a Seht die Bilder an.
Welche Wörter zum Thema
„Wohnen" kennt ihr?
Sammelt in der Klasse.

30 **b** Hör das Gespräch zwischen
Linda und ihrer Mutter.
In welcher Wohnung wohnt sie?

c Wo ist was? Hör das Gespräch noch
einmal, sieh das Bild an und ergänze
die Sätze im Heft.

1. Der Schrank steht rechts … … Tür.
2. Das Regal steht … … Schrank.
3. Der Schreibtisch steht … Fenster.
4. Das Bett ist links … …Tür.
5. Die Poster hängen … … Betten.
6. Die Kuscheltiere sitzen und liegen …
   … Bett von Lili.
7. Die Lampe hängt … … Tisch.

d Übt die Präpositionen. Zeigt und sprecht.

*Das Buch ist
über dem Kopf.*

Sie steht auf dem Stuhl.

*Nicht vergessen:
Frage: Wo? Präposition
immer mit Dativ. Ich liege
unter dem Stuhl.*

6 Phonetik – Wiederholung lange und kurze Vokale

31 **a** Hör zu, sprich nach. Ist der Vokal lang oder kurz?
das Bett – hoffentlich – können – anziehen –
der Wecker – das Fahrrad – wohnen – stehen – groß –
das Klavier – liegen – schaffen – die Erfahrung –
der Teppich – der Sessel – ruhig

b Ergänze 1–4 im *Denk nach* mit „kurz" oder „lang".

c Ordne die Wörter aus 6a den Regeln 1–4 zu.

> **Denk nach**
>
> 1. Vor einem Doppelkonsonanten (*ss, tt, pp, ck …*) ist der Vokal immer …
> 2. Vor einem *h* ist der Vokal immer …
> 3. Vor einem *ß* ist der Vokal immer …
> 4. *ie* und Vokal + *h* spricht man immer …

7 Auspacken

a Sieh die Zeichnung an und ergänze das *Denk nach*.

> **Denk nach**
>
> Präpositionen mit Akkusativ
>
> in, an, auf, unter, über, vor, hinter, neben, zwischen
>
> | Frage: Wohin? | → | Akkusativ |
> | --- | --- | --- |
> | der Schrank | → | in d… Schrank |
> | das Bett | → | unter d… Bett |
> | die Tür | → | hinter d… Tür |
> | die Bücher | → | neben **die** Bücher |
> | | → | **in** das / **in**s Regal |
> | | → | **an** das / **an**s Bett |

b Wohin kann Linda ihre Sachen tun? Schreib die Sätze.

1. Den Wecker kann sie … stellen.
2. Das Handy kann sie … legen.
3. Das Kleid kann sie … hängen.

4. Ihren Ausweis kann sie … legen.
5. Sie kann den Fotoapparat … legen.
6. Sie kann ihr Kuscheltier … setzen.

8 *Hängen, liegen, legen, sitzen, setzen, stehen, stellen*

a Aktionen beschreiben: *hängen, setzen, stellen, legen*. Lest die Beispiele und arbeitet dann zu zweit.

> Wohin soll ich die Jacke hängen?

> Wohin soll ich das Mäppchen legen?

> Hänge sie über deinen Stuhl.

> Leg das Mäppchen auf die Bücher.

> **Wohin?** →
>
> legen, stellen, setzen, hängen
>
> Sie **legt** das Handy auf **den** Tisch.
> Sie **hängt** das Foto an **die** Wand.
>
> **Wo?** ●
>
> liegen, stehen, sitzen, hängen
>
> Das Handy **liegt** auf **dem** Tisch.
> Das Foto **hängt** an **der** Wand.

b Den Endzustand beschreiben: *hängen, sitzen, stehen, liegen*. Beschreibt wie im Beispiel.

> Wo liegt das Mäppchen?

> Das Mäppchen liegt auf den Büchern.

9 Elina kommt nach Hamburg.

32 **a** Hör das Interview. Warum telefoniert Elina mit ihren Gasteltern?

b Hör noch einmal und lies mit.

- Grundmann.
- ■ Ja, guten Tag, ich bin Elina.
- Oh, Elina, schön, dass du anrufst, wir freuen uns alle schon, dass du kommst. Wie geht es dir? Ist alles in Ordnung?
- ■ Wie bitte? Bitte sprechen Sie langsam, ich habe Sie nicht verstanden.
- Ja, natürlich. – Wie geht es dir?
- ■ Danke, gut, und Ihnen?
- Uns geht es prima, hat bei dir alles geklappt? Kommst du am Montag?
- ■ Ja, ich komme am Montag und ich habe eine Frage: Kommen Sie zu … äh … zu … ich weiß das Wort nicht, kommen Sie zu … äh … auf Englisch *platform*?
- *Plattform*? Was meinst du?

33 **c** Hilf Elina. Erkläre *platform* auf Deutsch.

d Hör das Gespräch zu Ende. Was ist richtig? Was ist falsch?
1. Elina kommt am Busbahnhof an.
2. Familie Grundmann wartet auf Elina am Gleis.
3. Familie Grundmann bringt ihren Hund mit.
4. Elina kommt am Montagvormittag an.

e Erkläre ein Wort auf Deutsch. Die anderen raten, welches Wort du ausgewählt hast.
Schwester – Koffer – Verspätung – Gastfamilie – Klassenarbeit – Jugendlicher – Zimmer – Flughafen

> **TIPP**
>
> Wörter mit Fantasie erklären
> Es kommt oft vor, dass du ein Wort auf Deutsch nicht weißt. Das ist kein Problem, denn es gibt viele Möglichkeiten:
> – Erkläre das Wort mit anderen Wörtern.
> – Gib Beispiele.
> – Zeige mit Mimik und Gestik, was du sagen willst.
> – Notfalls hilft auch das Wörterbuch auf dem Handy ☺.

10 Aktivitäten in Hamburg

34 **a** Elina und ihr Gastschwester Lisa planen das Wochenende. Ergänze den Dialog mit *im*, *in* oder *ins*.
- Was machen wir am Wochenende?
- ■ Wollen wir … Kino gehen? Bist du einverstanden?
- Ach nee, … Kino war ich vorgestern, gehen wir lieber … die Europa-Passage shoppen.
- ■ Ja, gute Idee. … der Europa-Passage gibt es tolle Geschäfte.

b Spielt Dialoge wie in a.

die Speicherstadt

der Tierpark Hagenbeck

die Europa-Passage

11 Austauschberichte

a Pedro, Maria und Luis sind Austauschschüler aus Santa Cruz de la Sierra. Nach der Rückkehr aus Deutschland müssen sie einen Bericht schreiben. In ihren Tagebüchern haben sie Notizen für ihren Bericht gemacht. Lies die Textteile. Was passt zusammen?

Heute war ein normaler Tag und ich bin zum ersten Mal in die Schule gegangen. Die ersten zwei Stunden (Deutsch) waren schrecklich. Ich habe nicht viel verstanden und konnte mit niemandem sprechen. Aber später in der Pause war es besser und ich konnte einige Schüler kennenlernen. Das Problem war, dass ich allein mit dem Bus nach Hause fahren musste.   **1**

Ich möchte so gerne für eine Woche zurückfahren, mit meiner Familie zusammen sein und in der Sonne Fußball spielen. Aber das kann ich nur träumen!   Luis   **A**

Ich hatte keine Ahnung, wo die Haltestelle war und musste jemanden fragen. Ich war total nervös und hatte Angst, dass ich im falschen Bus war. Alle haben mich komisch angesehen. Aber es war der richtige Bus!   Pedro   **B**

Gestern sind wir zum Dreiländereck gefahren (Belgien, Deutschland und Holland). Es war wunderschön. Wir sind auf einen Fernsehturm gestiegen.   **2**

Die Tage werden immer dunkler. Alles ist nur grau, nicht lebendig. Ich bin joggen gegangen und um 5 Uhr nachmittags war es schon total dunkel! Von November bis Februar leben die Deutschen bei Dunkelheit. Ich vermisse die Sonne von Santa Cruz.   **3**

Es war komisch, weil man gleichzeitig in drei Ländern war. Am letzten Wochenende waren wir dann Ski fahren in der Skihalle mit Gerd, Robert und Alexander. Das war super. Erst habe ich viel auf dem Boden gelegen, aber dann konnte ich zusammen mit den anderen fahren.   Maria   **C**

b Welche Überschrift passt zu welchem Tagebucheintrag?

Geschafft!

Die besten Momente!

Heimweh!

c Positive Erfahrungen und Probleme. Sammelt und macht einen Tabelle.

Positive Erfahrungen bei den ersten Kontakten mit Klassenkameraden	Probleme in den ersten Deutschstunden

Über Ängste sprechen, jemanden beruhigen

Hoffentlich finde ich den Weg zur Schule.

Ich habe Angst, dass ich alles falsch mache.

Was mache ich, wenn …

Mach dir keine Sorgen. Du schaffst das schon.

Das ist bestimmt kein Problem. Die helfen dir sicher.

Länder vergleichen

In Deutschland kann man anziehen, was man möchte, bei uns muss man Schuluniformen tragen.

In Deutschland gibt es viele kleine Familien, genauso wie bei uns.

Bei uns ist der Verkehr nicht so geordnet wie in Deutschland, sondern chaotisch.

Sagen, wohin man im Zimmer etwas tut

Wohin tust du den Koffer?

Ich stelle meinen Koffer hinter die Tür.

Ich lege meine Kleidung in den Schrank.

Ich stelle meine DVDs ins Regal.

Ich hänge meine Poster über den Schreibtisch.

Ich setze mein Kuscheltier auf das Bett.

Verständigungsprobleme klären

Wie bitte?

Wie heißt das auf Deutsch?

Entschuldigung, das habe ich nicht verstanden, können Sie bitte langsam sprechen?

Außerdem kannst du …

… ein Formular ausfüllen.

… Notizen für einen Bericht verstehen.

Grammatik   kurz und bündig

Konjunktion *sondern*

Es gibt keine Kartoffeln,	sondern Reis.
Ich fahre nicht mit dem Fahrrad zur Schule,	sondern mit dem Bus.
Er war nicht nur in Deutschland,	sondern auch in der Schweiz.

Wechselpräpositionen: Richtung + Akkusativ

Wohin? → an, auf, in, hinter, neben, über, unter, vor, zwischen

Wohin soll ich das Poster hängen?	Über den Schreibtisch.
Wohin stellst du den Sessel?	Vor die Lampe.
Wohin hast du die DVDs gestellt?	Neben die Bücher.

Wohin gehst du heute Abend?	Ins Kino, kommst du mit?	in + das = ins
Wohin fahrt ihr in den Ferien?	Wir fahren ans Meer.	an + das = ans

Verben mit Bewegung: Wohin? →

Ich lege die Gitarre auf den Tisch.

Ich stelle die Gitarre auf den Boden.

Ich setze meinen Teddy auf das Bett.

Ich hänge das Foto an die Wand.

Verben ohne Bewegung: Wo? ●

Die Gitarre liegt auf dem Tisch.

Die Gitarre steht auf dem Boden.

Mein Teddy sitzt auf dem Bett.

Das Foto hängt an der Wand.

legen – hat gelegt, stellen – hat gestellt, setzen – hat gesetzt, hängen – hat gehängt

liegen – hat gelegen, stehen – hat gestanden, sitzen – hat gesessen, hängen – hat gehangen

Sprechen und spielen: Wo sind die Sachen?

das Handy ✓
der Rucksack ✓
die Schuhe ✓
das Buch ✓
die Gitarre ✓
die Jacke ✓
die Zeitschriften ✓
der MP3-Player ✓
die Kappe ✓
die Katze ✓

a Spielt zu zweit oder zu viert. Jeder ordnet auf einem Zettel den Bildnummern 1–10 einen Gegenstand aus der Liste zu. Die anderen dürfen deinen Zettel nicht sehen!

b Fragt euch gegenseitig mit Ja/Nein-Fragen. Wer findet die zehn Gegenstände zuerst?

● Hast du die Zeitschriften auf den Tisch gelegt?

■ Nein. Hast du die Jacke in den Schrank gehängt?

● Ja.

■ Treffer! Und hast du …?

Sprechen: Finde eine Person, die …

a Lies 1–8 und notiere deine Antworten auf einem Zettel.

b Frag deine Mitschüler und finde in zehn Minuten eine Person, die …

1. … so viele Geschwister hat wie du.
2. … die gleichen Hobbys hat wie du.
3. … gerne klassische Musik hört.
4. … die gleichen Lieblingsfächer hat wie du.
5. … drei Wörter auf Italienisch kann.
6. … die gleiche Lieblingsfarbe hat wie du.
7. … eine Oma mit über 75 Jahren hat.
8. … ein Gedicht auswendig kann.

> 1. 1 Bruder / 1 Schwester
> 2. Musik, Basketball, Kino
> 3. Nein!

> Hast du auch einen Bruder und eine Schwester?

> Magst du auch …?

c Berichtet in der Klasse.

> Markus hat einen Bruder und eine Schwester wie ich. Wir hören auch beide gerne Musik. Nadja hört gerne klassische Musik und ich R&B.

Spielen und wiederholen

Spielt in zwei Gruppen.
Würfelt und löst die Aufgabe auf dem Feld.
Richtig: Du darfst bleiben.
Falsch: Du musst wieder zurück.

Start

1
- Basketball
  14 Uhr?
- ☹ Unterricht!
- 17 Uhr?
- ☺

2
gern – lieber – …
viel – mehr – …
gut – besser – …

3
Du bist echt fit!
Geh 2 Felder vor.

4
Warum kommst du
so spät?

5
Erklär ein Wort auf
Deutsch: „Bruder",
„Lehrerin".

10
Du bist in Topform!
Geh 1 Feld vor.

9
Leo fährt nicht mit
dem Bus zur Schule,
… mit dem Fahrrad.

8
Reagiere auf den
Satz: „Weihnachten
ist das schönste
Fest."

7
Leg das Handy auf
d… Tisch, stell den
Rucksack auf d…
Boden, häng die
Jacke in d… Schrank.

6
So ein Pech!
Du hast deinen
Fuß verletzt. Geh
2 Felder zurück.

11
Sven kann nicht
mit in den Club
kommen, weil …

12
Grippe? Du musst
dich ausruhen. Setz
eine Runde aus!

13
Was weißt du über
Gehirnjogging?
Sag 2 Sätze.

14
Leckerer, gesunder
Obstsalat! Extra
Vitamine bringen
dich 2 Felder vor.

15
Richtig oder falsch?
Das Oktoberfest
in München ist das
größte Volksfest in
der Welt.

20
Wo ist meine Zeit-
schrift?
Unter d… Bett oder
i… Regal oder auf d…
Schreibtisch.

19
Was braucht man
zum Fußballspielen?
Nenne 3 Wörter.

18
Arm gebrochen!
Geh 2 Felder zurück.

17
Erklär ein Wort
auf Deutsch:
„Austausch",
„Schuluniform".

16
Frag mit einer indi-
rekten Frage: Wann
ist Tinas Party?
Was wünscht sie
sich?

21
Frischer Salat?
Prima!
Geh 2 Felder vor!

22
Daniela hat den
rechten Arm ge-
brochen und …

23
Reagiere auf den
Satz: „Schulpartys
sind langweilig."

24
weit, weiter, am …
schnell…
groß …
lang …
hoch …

25
Schon wieder Pech!
Geh 1 Feld zurück!

30
Jemand hat Angst
vor dem Test. Du
beruhigst ihn/sie.

29
Wohin möchtest du
lieber gehen?
… Schwimmbad
oder … Meer?

28
Erklär ein Wort
auf Deutsch:
„Sportfanatiker",
„Sportmuffel"

27
Deine Mannschaft
hat gewonnen! Geh
2 Felder vor.

26
Was ist der
Rosenmontagszug?

Ziel

Mündliche Prüfung Teil 3: einen Termin vereinbaren / sich verabreden

a Arbeitet zu zweit und probiert die Aufgabe aus.

A hat den Terminkalender A,

B hat den Terminkalender B.

Ihr dürft den Terminkalender von eurem

Partner / eurer Partnerin nicht lesen.

Ihr könnt euer Gespräch auch aufnehmen.

am + Wochentag

um + Uhrzeit

A

Ihr wollt zusammen ein Geburtstags-geschenk für Lukas kaufen. – Wann könnt ihr euch treffen?

Samstag, 15. August	
7.00	
8.00	
9.00	
10.00	
11.00	mit den Eltern einkaufen
12.00	
13.00	Mittagessen
14.00	
15.00	
16.00	Tischtennisturnier
17.00	
18.00	
19.00	
20.00	Abendessen + fernsehen bei Oma/Opa
21.00	

Samstag, 15. August	
7.00	
8.00	
9.00	schlafen
10.00	
11.00	Nachhilfe
12.00	
13.00	
14.00	Mittagessen
15.00	
16.00	
17.00	
18.00	
19.00	Kino mit Martin und Eva
20.00	
21.00	

B

Ihr wollt zusammen ein Geburtstags-geschenk für Lukas kaufen. – Wann könnt ihr euch treffen?

35 **b** Hört das Gespräch von Anna und Jonathan und vergleicht es mit eurem Gespräch. Was machen die beiden anders als ihr? Was machen sie besser? Was machen sie nicht so gut? Macht Notizen und diskutiert in der Klasse.

c Was könnt ihr machen, wenn ihr euren Partner / eure Partnerin nicht versteht oder wenn euer Partner / eure Partnerin euch falsch versteht? Hört das Gespräch noch einmal und sammelt nützliche Sätze.

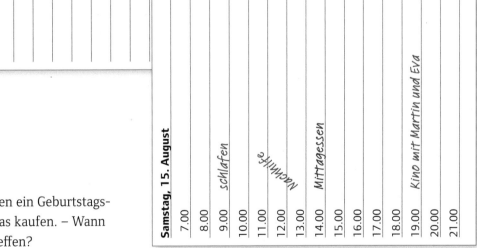

Entschuldigung, das habe ich nicht verstanden, meinst du ...?

Kannst du das bitte wiederholen?

Nein, ich habe nicht um 3 Uhr gemeint, sondern um 13 Uhr.

Da habe ich mich versprochen. Ich wollte sagen: ...

Literatur

Franz Hohler
DER BRIEFKASTEN

„Ich möchte gern ein Rennrad sein", sagte der Briefkasten zum Gartentor,
„und durch weite Ebenen flitzen und hohe Pässe bezwingen."
„Du mit deinen Wünschen", krächzte das Gartentor,
„dabei entsprichst du nicht einmal den neuen Vorschriften der Post."
„Wünschen kann man immer", sagte der Briefkasten nur und
schluckte weiterhin Rechnungen, Zeitschriften, Prospekte und Postkarten.

Wenig später wurde er abgeschraubt und durch einen neuen ersetzt. Man schmolz ihn ein, und zusammen mit alten Metallstühlen, zerrissenen Drahtgittern und krummen Schraubenziehern wurde er
zu Leichtstahl verarbeitet, kam in eine Rennradfabrik, und bald darauf flitzte er durch weite Ebenen,
bezwang hohe Pässe und konnte kaum glauben, dass er jahrelang am selben Ort gestanden hatte und
jeden Tag an der Post fast erstickt war.

Schreib eine Geschichte wie Franz Hohler.
Mögliche Themen:

Der Tannenbaum   Die Fensterscheibe   Das Buch

Du machst einen Austausch?

1 Vor dem Sehen

Erinnert ihr euch?
Erzählt, wie Sara Kiki hilft.

2 Beim Sehen

a Lies die Fragen und sieh dir dann das Video an. Kiki und Leo haben viele Fragen an Sara. In welcher Reihenfolge stellen sie ihre Fragen? Notiere die Buchstaben.

a) Woher kommst du?

b) Wie gefällt es dir hier? Was magst du an Berlin?

c) Und das Essen? Magst du deutsches Essen?

d) Hast du schon Freunde gefunden?

e) Sind die Deutschen anders als die Spanier?

f) Hast du manchmal Heimweh?

g) Warst du schon einmal auf einem deutschen Fest?

b Sieh die Bilder an und sieh dann das Video noch einmal an. Welche Informationen bekommst du zu den Bildern?

3 Nach dem Sehen

Spricht ... perfekt Deutsch?
Muss man perfekt Deutsch sprechen für einen Austausch? Diskutiert.

Halloween – auch bei uns!

1 Vor dem Sehen

Ordne die Wörter den Fotos zu.

das Gespenst – der Kürbis – die Maske – die Verkleidung – der Hut – das Tuch –
die Zähne – die Perücke

Was machen Gespenster? Wie fühlen wir uns dabei?
Zu welchem Bild passt welches Verb?

Was bedeutet das?

*Was Süßes raus, sonst
spukt's im Haus.*

2 Beim Sehen

Wer feiert Halloween in Deutschland?
Sieh das Video an. Wer sagt wo und warum:

*Was Süßes raus, sonst
spukt's im Haus.*

3 Nach dem Sehen

Wie möchtet ihr euch gerne verkleiden? Malt und/oder beschreibt eure Verkleidung.

Berliner Luft

Das lernst du

– Über eine Großstadt sprechen
– Nach dem Weg fragen / einen Weg beschreiben
– Um Hilfe bitten
– Höflich nach Informationen fragen
– Eintrittskarten kaufen

das Brandenburger Tor

der Zoo und die Gedächtniskirche

Wie komme ich zum Fernsehturm?

Da müssen Sie die S-Bahn nehmen.

der Bundestag (das Parlament)

Was wisst ihr über Berlin? Sammelt in der Klasse.

Klassenfahrt – Hör zu. Wo sind die Schüler und Schülerinnen? Welches Foto passt?

im Bundestag (Parlament) – auf der Straße – am Brandenburger Tor – im Zoo –

beim Shoppen

36

1 Hauptstadt Berlin

a Lies den Text und ordne die Zahlen zu.

4 – 30% – 1999 – 1,5 Mio. – 3,4 Mio. – 170

Berlin hat **1** Einwohner und ist eine sehr grüne Metropole. Über **2** vom Stadtgebiet sind Parks und Wälder. Durch die Stadt flie-ßen zwei Flüsse, die Spree und die Havel.
5 Man kann Stadtrundfahrten mit dem Schiff machen oder in einem gemütlichen Strand-café sitzen.

Die deutsche Hauptstadt hat viele Se-henswürdigkeiten, u. a. das Brandenburger
10 Tor, den Zoo, den Fernsehturm, das Sony-Center, den Checkpoint Charlie, die Muse-umsinsel und die Gedächtniskirche. Es gibt auch viele große und kleine Theater und Kinos.
15 Berlin ist seit **3** wieder Sitz der deut-schen Regierung. Das Parlament arbeitet im Reichstagsgebäude und die meisten Mi-nisterien sind im Regierungsviertel an der Spree. Ganz in der Nähe ist der moderne Hauptbahnhof.
20 Berlin ist eine multikulturelle Stadt, Menschen aus über **4** Ländern leben hier. Jedes Jahr im Frühsommer findet der Karneval der Kulturen statt. An diesem großen, bunten Straßenfest nehmen Menschen aus der ganzen Welt teil. **5** Besucher
25 feiern **6** Tage lang gemeinsam.

Der erste kulturelle Höhepunkt im Jahr ist immer die Berlinale im Februar. Sie gehört zu den größ-ten Filmfestivals weltweit. Filmstars aus der ganzen Welt treffen sich hier, denn die
30 „Bären" gehören zu den wichtigsten Prei-sen der Filmindustrie.

Berlin ist auch eine Mode-Stadt. Viele junge Designerinnen und Designer arbei-ten hier und entwerfen vor allem Mode für
35 junge Leute.

Sony-Center

Filmfest: Berlinale

Modestadt Berlin

Karneval der Kulturen

> Berlin hat 3,4 Millionen Einwohner.

b Schreibt Fragen zum Text. Fragt euch gegenseitig in der Klasse.

> Wo liegt Berlin?

> Welche Festivals …?

> Was ist …?

> Wann … ist …?

c Adjektivendungen wiederholen – Ergänze die Sätze. Es gibt viele Möglichkeiten.

gemütlich – viel – berühmt – neu – groß – interessant – bekannt – bunt – teuer – spannend

1. Berlin ist eine … Stadt.
2. Es gibt … Festivals.
3. Der Karneval der Kulturen ist ein … Fest.
4. Den … Hauptbahnhof gibt es seit 2006.
5. Man sitzt gern in einem … Straßencafé.
6. In Berlin leben viele … Modedesigner.

2 Museumsbesuch

37 **a** Hör zu. Wo waren Miri und Kata? Was finden sie unglaublich?

b Hör noch einmal. Welche Sätze sind richtig? Korrigiere die falschen Sätze.

1. Es gibt heute eine Grenze durch Berlin.
2. Ab Juni 1961 war Berlin geteilt.
3. Alle Familien waren getrennt.
4. Es gibt noch Reststücke von der Mauer.
5. Miri möchte ein Foto vom Museum machen.

c Die Berliner Mauer 1961–1989. Sammelt Informationen im Internet.

3 Musikstadt Berlin

a Lies den Text. Wo passen die Wörter und Ausdrücke?

in Parks – kleine Bühnen – Musikhauptstadt – Rap – Musiker – DJs – Lieder – Sängerin

Berlin ist die ■1 von Europa. Aus der ganzen Welt kommen Musiker gerne hierher. Hier gibt es ganz unterschiedliche Musik – von klassischen Konzerten bis zum Rock und ■2, von Oper bis zu Popfestivals. Drei Opernhäuser und die Berliner Philharmonie sind die großen Bühnen, daneben gibt es viele ■3 und viele Musiker treten auch auf der Straße oder ■4 auf. In keiner anderen deutschen Stadt leben so viele ■5. Auch die Clubszene ist sehr lebendig und viele ■6 sind in Berlin aktiv. Insgesamt leben 12 000 Menschen in Berlin von Musik.

Es gibt über 200 ■7 über Berlin. Schon 1899 hat Paul Lincke das Lied „Das ist die Berliner Luft" geschrieben und mehr als hundert Jahre später haben „Die Prinzen" und viele andere Songs über die Hauptstadt Deutschlands gemacht. Marlene Dietrich, eine weltberühmte Schauspielerin und ■8, ist in Berlin geboren und hat viele Lieder über ihre Heimatstadt gesungen.

38–41 **b** Hör zu. Was denkst du: Von wem ist welches Lied?

„Berliner Luft"   „Ich hab noch einen Koffer in Berlin"   „Berlin"   „Sommer in Berlin"

Marlene Dietrich

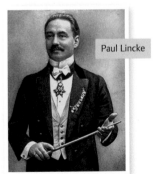

Paul Lincke

Die Prinzen

Nepper, Schlepper, schlechte Rapper

c Welche Musik gefällt euch?

d Welche Lieder über eine Stadt gibt es bei euch?

4 Unterwegs in der Stadt

a Wohin? Ergänze die Sätze und ordne sie den Zeichnungen zu.

an der – an der – durch den – über den – über die – über die

1. Geh … … Park.
2. Geh … … Brücke.
3. Geht … … Platz hier.
4. Geht hier … … Straße.
5. Gehen Sie … … Kreuzung rechts.
6. Geh … … Ampel links.

Wie soll ich gehen?

Gehen Sie nach rechts und dann nach links.

Wo soll ich nach rechts und nach links gehen?

42 **b** Du bist am Hauptbahnhof. Hör zu. Was ist der richtige Weg?

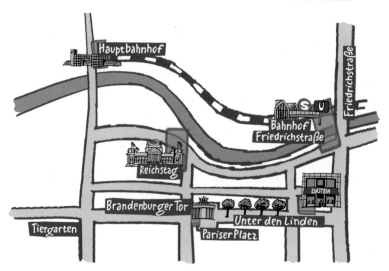

5 Sprechen üben: Informationen wiederholen

43 **a** Hör zu und wiederhole die wichtigen Informationen.

- ● Dann geht ihr über den Fluss.
- ■ Über den Fluss …
- ● Dann an der nächsten Kreuzung rechts.
- ■ … an der nächsten Kreuzung rechts.
- ● Dann sofort wieder links.
- ■ …

Wenn man die wichtigsten Informationen wiederholt, kann man sie besser behalten.

… wiederholen – besser behalten

b Macht Wegbeschreibungen mit dem Plan und übt das Wiederholen.

6 Wegbeschreibung: U-Bahn, Bus …

a Ihr seid in der Friedrichstraße. Lest und ergänzt die Wegbeschreibung.

Sophie-Charlotte-Platz – 20 Minuten – Ruhleben – Alt-Mariendorf – U2

● Entschuldigung, können Sie uns sagen, wie wir zum
Schloss Charlottenburg kommen?

■ Das ist ziemlich weit, da müsst ihr die
eine Station, nehmt die U6 Richtung **1**,
steigt ihr um in die **2** Richtung **3**, dann sind es 12
braucht ungefähr **4**, dieStation heißt **5**.

U-Bahn nehmen. Da drüben ist
fahrt zwei Stationen, dann
odern 13 Stationen. Ihr

● Danke.

Schloss Charlottenburg

b Hört zur Kontrolle.

7 Können Sie uns bitte helfen?

**a Schreibt und spielt Dialoge.
Benutzt den Plan von S. 38
und den U-Bahn-Plan.**

Ihr wollt vom …
1. Reichstag zum Café Einstein.
2. Brandenburger Tor zur
   Friedrichstraße.
3. Hauptbahnhof zum Olympiastadion.
4. Bahnhof Friedrichstraße nach Pankow.
5. Potsdamer Platz nach Potsdam.
6. Pariser Platz zur Friedrichstraße.

Denk nach

Orte/Plätze/Straßen in der Stadt

zum	Café Einstein / Bahnhof / Pariser Platz …
zur	Disco 36 / Kantstraße …
ins	Café Einstein / Kino/Restaurant/Museum
in die	Disco/Schule
in den	Zoo/Park/Club

Länder/Regionen/Städte/Stadtteile

nach	Deutschland/Brandenburg/Berlin/Kreuzberg

Entschuldigung,
 wir suchen …
 können Sie uns sagen, wo … ist?
 können Sie mir sagen, wie ich zu … komme?
 Können Sie mir bitte sagen, wo ich eine
 Fahrkarte kaufen kann?

Geht hier links/rechts/geradeaus …
An der zweiten/dritten Kreuzung …
An der nächsten Ampel …
Da vorne gleich um die Ecke, dann links.
Nimm/Nehmt die … / den … in Richtung …
Tut mir leid, ich bin auch fremd hier.

b Phonetik: Vokal am Anfang – Hör zu und sprich nach.

Das | ist weit.
Dann sind | es | acht Stationen.
Wir wollen mit der | U-Bahn fahren.
Geradeaus | oder | an der | Ampel links?

Konsonant und Vokal bleiben getrennt:
Das s und das d spricht man hart/stimmlos.
Das r hört man nicht. Man spricht das *r* als
schwaches *a*.

8 Wir steh'n auf Berlin!

a Lesestrategie: einen Text überfliegen – Wie viele Berliner Attraktionen findest du schnell?
Überflieg den Text 60 Sekunden. Schließ das Buch und mach Notizen.
Sammelt dann in der Klasse.

Anne-Frank-Schule   Klassenfahrten

Berlinfahrt der 8b

Der erste Tag. Es war seit fast einem Jahr klar, dass wir unsere
Klassenfahrt nach Berlin machen, aber wir waren alle aufgeregt,
als es dann endlich so weit war. Morgens um 7 sind wir in den Bus
gestiegen. 29 Schüler und Schülerinnen und zwei Begleiter, Herr
5 Dolm und Frau Kanter.
29? – Nein, um 7 Uhr waren wir 28. Tobi ist dann um Viertel nach
7 gekommen. Er hat die Straßenbahn verpasst. Ach, Tobi!
Nach sechs Stunden Busfahrt waren wir in unserem Hostel am
Alexanderplatz. Wir haben Koffer und Taschen in die Zimmer ge-
10 bracht und sind gleich zum ersten Termin im Bundestag gefahren.
Dort hat unsere Abgeordnete eine Führung organisiert. Der Vor-
trag war ein wenig langweilig (☹ ☺), aber das Reichstagsgebäude
mit der riesigen Kuppel ist gigantisch. Danach sind wir zum
Brandenburger Tor und zum Holocaust-Denkmal gelaufen. Abends
15 waren wir rund um den Alexanderplatz unterwegs. Shoppen im
Kaufhaus Alexa, Besichtigung der Weltzeituhr. Einige sind auf den
Fernsehturm gefahren. Um 20 Uhr mussten wir im Hostel sein. Tobi
war um 21 Uhr 30 da.
Er hat sich verlaufen, sagt er. Ach Tobi!!

20 **Am zweiten Tag** haben wir zuerst eine Stadtrundfahrt mit dem
Fahrrad gemacht (Tiergarten, Siegessäule, Schloss Bellevue).
Dann waren wir bei Madame Tussauds und abends waren einige
bei der „Blue-Man-Group", das ist eine super Show mit viel Musik
und Action. Eine andere Gruppe ist mit Herrn Dolm nach Kreuz-
25 berg gefahren. Im Improvisationstheater „Die Gorillas" haben die
Schauspieler das Theaterstück nach Stichworten aus dem Publikum
spontan entwickelt. Das war total lustig. In Kreuzberg haben wir
ein anderes Berlin gesehen, viele Graffiti, viele Obdachlose und
eine ganz bunte Mischung von Menschen.

30 **Am dritten Tag** waren „Sealife", „AquaDom" und die Museumsinsel auf dem Programm. Auf der Museumsinsel haben wir uns in
Gruppen aufgeteilt. Treffpunkt danach war um 17 Uhr vor dem
Haupteingang. Ratet mal, wer nicht da war? Nein, nicht Tobi, Gela
und Franzi! Sie mögen keine Museen und waren lieber im Kauf-
35 haus des Westens. Supertoll, sagen sie. Auf dem Rückweg haben
sie die falsche U-Bahn genommen und sind direkt ins Hostel. Frau
Kanter war nicht glücklich ☹ ☹.

Am letzten Tag haben wir die Mauerreste bei der „East-Side-
Gallery" gesehen. Heute sieht die Mauer bunt und freundlich aus,
40 aber hier sind viele Menschen gestorben. Gegen Mittag haben wir
unsere Sachen gepackt und sind um 15 Uhr in den Bus gestiegen.
Wer hat gefehlt? Niemand. Frau Kanter und Herr Dolm konnten es
kaum glauben und waren sehr glücklich ☺.
Es war eine tolle Reise. Alle wollen bald wieder nach Berlin. Es
45 gibt noch so viel zu sehen, z. B. hatten wir keine Zeit für das
Olympia-Stadion. Vielen Dank, Herr Dolm und Frau Kanter, dass
Sie diese Reise mit uns zusammen gemacht haben!

Reichstag

Holocaust-Denkmal

Siegessäule

Kaufhaus Alexa

Blue-Man-Group

Die Gorillas

b Welche grünen Wörter im Text auf Seite 40 passen zu den Erklärungen 1–5?

1. sehr viele verschiedene Menschen

2. Sie zeigt, wie viel Uhr es überall in der Welt ist.

3. eine Politikerin, sie sitzt im Parlament

4. Hier sollen alle wieder zusammenkommen.

5. Er hat den Weg nach Hause nicht gefunden.

c Das stimmt alles nicht. Vergleiche mit dem Text und korrigiere die Aussagen.

1. Die Klassenfahrt hat drei Tage gedauert.

2. Alle waren pünktlich.

3. Das Improvisationstheater war langweilig.

4. Gela und Franzi mögen Museen.

5. Kreuzberg ist der Name von einem Theater.

6. Das Kaufhaus Alexa ist beim Reichstagsgebäude.

7. Am letzten Tag waren alle im „Sealife".

8. Am Abfahrtstag hat Tobi wieder gefehlt.

d Schreibt je zwei weitere Aussagen zum Text. Eine ist richtig und eine falsch. Lest vor. Die anderen korrigieren.

e Schreib einen Text (50–100 Wörter) über einen Besuch in einer Stadt in deinem Land.

9   Im Kartenshop

a Ort? Zeit? Preis? Formuliere höfliche (indirekte) Fragen.

Fußball-Highlight	Improtheater: „Die Gorillas"	Internationale Funkausstellung	Show „Blue-Man-Group"
Hertha BSC – BVB Dortmund	Karten: 12 €	(5.–10.9.)	Karten: 80–100 €
2. September	Ort: Ratibortheater	Eintritt: 17 €	Ort: BLUEMAX Theater am
Karten: 20–50 €	Zeit: 20:30	Ort: Messe Berlin	Potsdamer Platz
S-Bahn: Olympia-Stadion	Nächste Vorstellungen:	S-Bahn: Messe Nord	Nächste Vorstellungen:
	3.9./5.9./7.9./9.9.	Öffnungszeiten: 10–18 Uhr	4.9.–9.9.

Entschuldigung, können Sie mir sagen, wie viel …

b Fragt und antwortet. Der S/U-Bahn-Plan von Seite 39 hilft.

46   **c** Hört den Dialog. Spielt das Gespräch an der Kasse.

● Guten Tag.

■ Guten Tag, ich hätte gern drei Karten für die „Blue-Man-Group".

● Ich habe noch Karten für 80 € und für 90 €.

■ Gibt es eine Ermäßigung für Schüler?

● Nein, tut mir leid.

■ Schade. Dann nehmen wir die drei für 80 €.

● Bitte schön, das macht zusammen 240 €.

■ Danke schön. Und können Sie mir noch sagen, wo das Theater des Westens ist?

● U2 oder U9, Haltestelle „Zoologischer Garten".

■ Danke schön.

● Gerne.

> **Höfliche Bitten**
> Ich hätte gern drei Karten für „Die Gorillas". =
> Ich möchte bitte drei Karten für „Die Gorillas" haben.

d Spielt weitere Gespräche mit Informationen aus eurer Stadt.

– Konzert „ …" / Museum / Sehenswürdigkeit

– Wann?: Tag/Uhrzeit

– Kosten: €€€€

– Adresse: ???

– Wegbeschreibung: Bus/U-Bahn/Straßenbahn

Über eine Großstadt sprechen

Welche Festivals gibt es in Berlin?
Berlin ist eine interessante Stadt.
Ab 1961 war Berlin geteilt.
In der deutschen Hauptstadt gibt es viele Sehenswürdigkeiten.

Nach dem Weg fragen / einen Weg beschreiben

- Entschuldigung, wie komme ich zum Brandenburger Tor?
- Entschuldigung, können Sie mir helfen? Ich möchte zum Schloss Charlottenburg.

- Können Sie mir sagen, wo der Zoo ist?

■ Gehen Sie über die Brücke, an der nächsten Ampel links und dann immer geradeaus …

■ Das ist weit. Da müssen Sie mit der U-Bahn fahren. Da drüben ist eine U-Bahn-Station. Nehmen Sie die U3 Richtung …

■ U2 oder U9, Haltestelle „Zoologischer Garten".

Um Hilfe bitten / höflich nach Informationen fragen

Entschuldigung, können Sie mir (bitte) helfen?
Entschuldigung, können Sie mir sagen, wo die nächste U-Bahn-Station ist?

Eintrittskarten kaufen

Ich hätte gern zwei Karten für Hertha gegen Dortmund.
Wir hätten gern Karten für „Die Gorillas". Können Sie mir sagen, was die kosten?
Gibt es eine Ermäßigung für Schüler?

Außerdem kannst du …

… einen Informationstext über Berlin verstehen.
… einen Bericht von einer Klassenfahrt verstehen.

Grammatik   kurz und bündig

Lokale Präpositionen (Überblick)

Orte/Plätze/Straßen in der Stadt

→○	Wir gehen	zum	Café Einstein / Bahnhof / Pariser Platz …
		zur	Disco 36 / Kantstraße …
→⊙	Wir gehen	ins	Café Einstein / Kino/Restaurant/Museum
		in die	Disco/Schule
		in den	Zoo/Park

> Mein Tipp:
> Präpositionen immer im Kontext lernen.
> Ich fliege über das Haus.

Länder/Regionen/Städte/Stadtteile

	Wir fahren	nach	Deutschland/Brandenburg/ Berlin/Kreuzberg.
⊖	Sie gehen	durch	den Park / die Stadt.
	Zwei Flüsse fließen	durch	Berlin.
	Sie gehen	über	den Platz / die Brücke / die Straße.

Höfliche Bitten

Ich hätte gern Karten für „Die Gorillas". = Ich möchte bitte Karten für „Die Gorillas" haben.

Welt und Umwelt

Das lernst du

- Sagen, wo man gerne leben möchte
- Das Wetter beschreiben
- Über Konsequenzen sprechen
- Tipps zum Umweltschutz formulieren
- Über Umweltfragen diskutieren

A Pinguine in der Antarktis

B der Urwald

C das Meer

D eine Oase in der Wüste

E eine Großstadt

F ein Dorf in den Bergen

47 Hört zu. Zu welchen Fotos passen die Geräusche? Wo kann das sein?

Sammelt in Gruppen zu je einem Bild Wörter und Sätze. Beschreibt das Bild.

viele Tiere — Fluss — Amazonas
gefährlich — Urwald — heiß und feucht

Das Bild zeigt ein kleines Dorf. Es liegt …
Im Vordergrund … und im Hintergrund …
Es ist vielleicht … Dort ist es im Sommer …

1 Wo und wie möchtet ihr später mal leben?

48 **a** Hör zu. Wo möchten Samira und Oskar gerne mal leben?

b Hör noch einmal. Warum wollen sie an bestimmten Orten leben?
Ergänze die Sätze.

1. Samira möchte mal in einer … leben, weil …
2. Sie möchte nicht gerne im … leben, weil …
3. Sie findet auch das Leben in einer …
   interessant, weil …
4. Oskar möchte ein paar Jahre nach …
   Er möchte im … leben, weil ….
5. Er möchte nicht in einer … leben, weil …
6. Er meint, dass das Leben in der … vielleicht
   auch spannend ist, weil …

c Vorteile und Nachteile –
Sammelt an der Tafel.

	Vorteile	Nachteile
in der Stadt	Clubs/Discos	laut
auf dem Land		
am Meer		
in den Bergen		
in der Wüste		
im Urwald		

49 **d** Hört den Modelldialog und sprecht eigene Dialoge in der Klasse.

V

2 Das Wetter und die Jahreszeiten

a Schreibt und sprecht Sätze zu den Bildern.

die Wolke, bewölkt   die Hitze, heiß,   der Regen,   der Wind, windig,   der Schnee,

die Sonne, sonnig,   regnerisch,   der Sturm,   die Kälte, kalt

trocken   nass, kühl   stürmisch

> *Das Wetter ist nicht gut. Es ist bewölkt. Es gibt viele Wolken. Es ist kühl.*

50   **b** Sprechen üben. Hört zu und sprecht nach.

1. So ein Mistwetter!
2. Eine Affenhitze heute!
3. Was für ein furchtbares Wetter!
4. Herrliches Wetter heute!
5. Es ist saukalt!
6. Das Wetter geht so heute.

c Wie kann man 1–6 anders sagen?

> *Zum Beispiel: Das Wetter ist sehr schlecht heute!*

d Schau auf die Wetterkarte. Welche Äußerung passt zu welcher Stadt?

> *„So ein Mistwetter!" passt zu Rio. In Rio ist es Sommer. Es ist warm, aber es regnet stark.*

> *„So ein Mistwetter!" passt aber auch zu …, weil …*

Wetter und Temperaturen am Freitag, den 1. Januar, 11 Uhr UTC	
Moskau	sonnig, −23 °C
Athen	sonnig, 14 °C
Kairo	bewölkt, 15 °C
Berlin	sehr windig, 2 °C
Rio de Janeiro	starker Regen, 30 °C
Sydney	sonnig, 38 °C
Bern	bewölkt, 1 °C
Tokio	bewölkt, 3 °C
Wien	leichter Regen, 2 °C
Washington, DC	Schnee, −2 °C
Peking	sonnig, −5 °C

3 Wie ist das Wetter?

51–52   **a** Hör zu. Zu welchen Abbildungen passen die Wetterberichte?

A Sonntag, 23. Juli		B Freitag, 22. Dezember		C Mittwoch, 15. Mai	
Heute	Morgen	Heute	Morgen	Heute	Morgen
☀ —27 C	—20 C	—2 C	*** —2 C	—15 C	—18 C

b Und bei euch? Wie ist das Wetter heute? Wie war es: gestern, am Wochenende, vor einer Woche, an Neujahr, in den Sommerferien, an deinem Geburtstag …?

> *Gestern hat es geregnet.*

> *Das Wetter am 1. Januar? Oh, das weiß ich leider nicht mehr.*

c Was machst du, wenn …? Schreib Sätze. Sprecht in der Klasse.

Wenn es regnet, …

Wenn es schneit, …

Wenn es heiß ist, …

Wenn es kalt ist, …

Wenn die Sonne scheint, …

> *Was machst du, wenn es regnet?*

> *Wenn es regnet, ziehe ich eine Jacke an.*

4 Wetterchaos

a Zu welchen Zeitungsüberschriften passen die Fotos?

1 Orkan Freddy rast mit 200 km/h über Europa!

2 Ab ca. 2080 kein Schnee mehr in Europa?

3 Feuersturm in Kalifornien! 2400 Hektar Wald weg!

4 Regenchaos und Überschwemmungen! Alles unter Wasser!

5 Ohne Eis keine Eisbären! Arktis bald eisfrei!

53 **b** Radio Total – Hör Teil 1 von der Radiosendung. Zu welchem Foto passt die Nachricht?

54 **c** Hör nun das Interview. Welche Fotos passen? Warum?

d Hör noch einmal. Welche Aussagen sind richtig? Korrigiere die falschen Aussagen.

1. Der Sturm Freddy war der erste Orkan in Europa.
2. In den Alpen gibt es immer weniger Eis und Schnee.
3. Man kann bald nur noch in Regionen über 1500 Metern Ski fahren.
4. In 20 oder 30 Jahren kann man aber überall wieder normal Ski fahren.
5. Für die Alpenregion ist das sehr gut, denn es kommen mehr Urlauber im Sommer.
6. Ein noch größeres Problem ist der sehr starke Regen.
7. Es regnet mehr und stärker, weil in kalter Luft mehr Wasser ist.
8. Man kann gegen diese Probleme nichts tun.

e Etwas gegen den Klimawandel tun? Lies die Aussage von Professor Fischmann. Was müssen wir weniger tun, was müssen wir mehr tun? Formuliere eigene Beispiele.

> „Wir müssen schneller umweltfreundliche Energien verwenden. Wir müssen anders leben: weniger Auto fahren, weniger mit dem Flugzeug fliegen, weniger elektrische Geräte benutzen, mehr zu Fuß gehen usw."

5 Phonetik: *ch* und *c*

55 **a** Hör zu und notiere: Wo spricht man „k", „tsch", „sch", „ts"?

Chaos – Chat – Chef – circa (ca.) – Computer – CD

b Hör noch einmal und sprich nach.

6 Der 10-Minuten-Chat

a Wer gibt welchen Tipp? Lies den Chat aus der Schülerzeitung „Tempo". Ordne die Fotos A–D den Namen zu.

Tempo-Chat	⁺Kommentar	Suchen	⇨ Startseite

Tempo	18:00 In der nächsten „Tempo" hat unser „10-Minuten-Chat" das Thema „Ich will was für die Umwelt tun". Habt ihr Ideen außer Mülltrennung? Ihr habt ab jetzt 10 Minuten Zeit. Nicht vergessen: Ihr müsst eure Namen angeben!
Phil, 15	18:01 Wir können die Welt sowieso nicht retten. Habt lieber Spaß und macht euch nicht so viele Sorgen.
Dennis, 17	18:02 GRRR, Phil!!! Man kann etwas tun und Spaß haben. Ich bin bei Greenpeace. Macht echt Spaß!
Vani, 16	18:03 Man kann etwas tun und Geld sparen! Z.B.: Energiesparlampen kosten mehr als normale Lampen, aber sie halten länger und verbrauchen 80% weniger Energie! Mit so einer Lampe sparst du im Jahr bis zu 9 Euro.
Dennis, 17	18:04 Alt, aber wichtig: Licht ausmachen. Ich bade nicht mehr, sondern ich dusche. Ersparnis: 70 Prozent weniger Wasser und Strom oder Gas. Elektrogeräte ausschalten. Die Stand-by-Funktion ist ein Stromfresser!
Phil, 15	18:06 Ah, komm! Wie viel Strom kann ein kleines, rotes Lämpchen denn verbrauchen? Und Wasser haben wir mehr als genug.
Nadine, 15	18:07 Der Fernseher auf Stand-by kostet 30 Euro im Jahr! Und du hast auch noch einen Computer, eine Spielkonsole, Ladegeräte usw.
Patrick, 16	18:08 Tipp zum Wassersparen: beim Zähneputzen Wasser aus! In einer Minute laufen fünf Liter weg: drei Minuten Zähneputzen = 15 Liter.
XYX	18:08 *– Von der Redaktion gelöscht – sachlich bleiben!*
Natalie, 15	18:09 Ich bin Mitglied beim BUND (Bund für Umwelt- und Naturschutz Deutschland). Wir machen viele Aktionen zum Thema Umweltschutz und Energiesparen in unserer Region. Ich finde die Leute da echt cool.
Phil, 15	18:09 Stofftaschen statt Plastiktüten! Schaut mal hier original-unverpackt.de. UND: Chillen spart viel Energie ☺!
Tempo	18:10 So, das war es wieder. Danke, Leute!

b Lies den Chat noch mal und beantworte die Fragen für dich. Fragt euch dann in Gruppen.

1. Warum sind Energiesparlampen gut? *Sie halten länger und verbrauchen wenig Energie.*
2. Was macht Dennis, wenn er aus dem Zimmer geht? *Er ist by greenpeace.*
3. Was meint Phil zum Energiesparen? *Er denk dass es nicht eine gute idee ist.*
4. Wie viel Wasser kann man beim Zähneputzen pro Tag sparen, wenn man 3x die Zähne putzt? *15 liter.*
5. Hat Phil keinen Vorschlag zum Umweltschutz? *Er kauft Stofftaschen.*
6. Welche Organisationen haben den Umweltschutz als Thema? *Greenpeace*

c Und eure Tipps? Macht einen Klassen-Chat.

Wenn man nicht badet, sondern duscht, spart man viel Wasser.
Wenn man nicht duscht, spart man noch mehr Wasser ☺.
Wir haben doch bei uns mehr als genug Wasser. Stromsparen ist wichtiger.

7 Sprechen üben: lange Wörter

56 **a** Hör die langen Wörter und ergänze Smartas Tipp.

das Recycling	das Papier	das Recyclingpapier
die Umwelt	der Schutz	der Umweltschutz
der Umweltschutz	die Organisation	die Umweltschutzorganisation
die Zähne	das Putzen	das Zähneputzen
die Energie	das Sparen	das Energiesparen

Mein Tipp:
Bei langen Wörtern ist fast immer das ... Wort betont.

b Hör noch einmal und sprich nach.

8 Wortbildung: Verben und Nomen

a Aus fast allen Verben kann man Nomen machen.
Ergänze das *Denk nach*.

b Welche Verben findest du in diesen Nomen?
das Wörterlernen – das Wäschewaschen –
das Geldsparen – das Wassertrinken –
das Abendessen

Denk nach

putzen	das Putzen	das Zähneputzen
essen	das Essen	das Mittagessen
sparen	...	...
fahren	...	...

Verben zu Nomen ist einfach:
Artikel immer ... und Verb im I...

9 Konsequenzen?

a Schreib die Antwort auf folgende
Fragen wie im Beispiel.

Was passiert, wenn ...
1. wir weiter so viel Auto fahren?
2. es immer wärmer wird?
3. das Eis schmilzt?
4. wir weiter zu viel Wasser verbrauchen?

weniger Trinkwasser   kein Erdöl   mehr Krankheiten
mehr Stürme   mehr Trockenheit   größere Wüsten
mehr Luftverschmutzung   mehr Überschwemmungen

Wenn wir weiter so viel Auto fahren,
dann haben wir ...

b Sprecht in der Klasse. A beginnt einen Satz
und B beendet ihn mit *deshalb*.
1. Strom kostet viel Geld, ...
2. Wir müssen viel Geld für Heizung
   bezahlen, ...
3. Plastiktüten verschmutzen die Umwelt, ...
4. Fahrradfahren ist gesund, ...
5. Die Straßenbahn ist billiger als das Auto, ...
6. ...

heizen   weniger   mehr   Licht   ausmachen   viel
Obst essen   wenig
benutzen   elektrische Geräte   anmachen
kaufen   sparen   Stofftaschen
Strom   Auto fahren   verbrauchen
Straßenbahn

deshalb
sollte man Strom
sparen.

Strom kostet viel Geld,

deshalb sollten
wir alle ...

ich	sollte
du	solltest
er/es/sie/man	sollte
wir	sollten
ihr	solltet
sie/Sie	sollten

10 Alle wollen etwas, aber keiner tut etwas.

a Lies den Leserbrief an „Tempo". Stimmst du Karla zu oder nicht? Warum?

Unsere Leser und Leserinnen diskutieren

· Thema: 10-Minuten-Chat

Liebe Redaktion!

Danke für eure Artikel zum Umweltschutz in der letzten Ausgabe. Die Äußerungen meiner Mitschülerinnen und Mitschüler waren sehr interessant. Sind wir wirklich alle so tolle Umweltschützer? Mein Eindruck ist: Beim Reden schon, aber die Praxis ist anders. Alle sprechen über das Klima, aber keiner will Energie sparen. Wir wissen, dass jeder etwas tun muss, aber fast niemand tut wirklich etwas. Die Han-

dys laufen weiter, die Mülleimer sind voll mit Verpackungsmüll. Und dann die Pessimisten: „Man kann ja sowieso nichts machen." Wenn ich das schon höre! Wenn man immer alles negativ sieht, erreicht man nie etwas. Jeder kann etwas machen. Man muss nur anfangen.

Karla

Denk nach	
jeder/alle	…/niemand
jemand	keiner/…
etwas	…
immer	…

b Lies den Brief noch einmal und ergänze das *Denk nach*.

 57   **c** Drei-Satz-Aussagen – Hör das Modell. Wähl einen Anfang 1–6 und schreib eine Aussage. Tragt eure Aussagen vor. Dann sagen die anderen ihre Meinung.

1. Man kann eigentlich nichts tun, weil …
2. Alle wollen Energie sparen, aber …
3. Vielleicht kann man nur wenig tun, aber …
4. Keiner will wirklich etwas tun, deshalb …
5. Wenn man immer nur pessimistisch ist, …
6. Jeder kann etwas tun, weil …

Das stimmt doch nicht, dass niemand …
Ich glaube nicht, dass …
Ich bin nicht deiner Meinung, weil …
Ich bin mir sicher, dass …
Du hast schon recht, aber …

Projekte

Energiesparen und Umweltschutz in der Schule oder zu Hause.

a Wählt „Schule" oder „zu Hause" und sammelt Ideen.

b Arbeitet in Gruppen und macht ein Plakat oder eine Präsentation.

i Viele Schulen in Deutschland machen Umweltprojekte, sie machen z. B. einen ökologischen Schulgarten, sie bauen Solaranlagen, sie verwenden Regenwasser für die Toiletten. Manche bauen eine Fahrradwerkstatt auf oder gründen eine Initiative für die Verwendung von umweltfreundlichem Papier in der Schule. Andere entwickeln Lösungen für das Müllproblem in der Schule.
Viele Städte und Bundesländer unterstützen diese Projekte und machen Wettbewerbe. Die besten Projekte bekommen Preise.
Internet-Suchbegriff: „Schule Umweltprojekt".

Sagen, wo man gerne leben möchte

Ich möchte gerne mal in einer Wüste leben, weil ich das interessant finde.

Ich möchte nicht gerne in einer großen Stadt leben, weil es dort laut und schmutzig ist.

Das Leben im Urwald ist bestimmt spannend.

Das Wetter beschreiben

Letzte Woche war es hier heiß und trocken. Die Sonne hat geschienen. Ein herrliches Wetter!

An Neujahr war ein Mistwetter. Es war kühl und hat geregnet. Was für ein furchtbares Wetter!

Über Konsequenzen sprechen

Wenn wir zu viel Wasser verbrauchen, gibt es bald nicht mehr genug Trinkwasser.

Deshalb müssen wir Wasser sparen.

Wenn wir weiter so viel Auto fahren, gibt es bald kein Erdöl mehr.

Tipps zum Umweltschutz formulieren / Ratschläge geben

Wenn man nicht badet, sondern duscht, spart man viel Wasser.

Fahrradfahren ist gesund und gut für die Umwelt. Deshalb sollten wir weniger mit dem Auto fahren.

Über Umweltfragen diskutieren

Das stimmt doch nicht, dass niemand etwas tut.   Ich bin mir sicher, dass man mehr tun muss.

Ich bin nicht deiner Meinung, weil …   Das hast schon recht, aber das ist nicht so einfach.

Außerdem kannst du …

… Wetterberichte verstehen.

… Forumstexte / einen Leserbrief zum Umweltschutz verstehen.

Grammatik — kurz und bündig

Negationswörter: *keiner, niemand, nichts, nie*

jeder/alle – niemand/keiner	Keiner tut etwas für die Umwelt, aber alle reden über die Umwelt.
jemand – niemand/keiner	Kann mir jemand helfen? Ist denn niemand da?
etwas – nichts	Hast du etwas getan? Ich habe nichts getan.
immer – nie	Wenn man immer alles negativ sieht, erreicht man nie etwas.

Ratschläge geben mit *sollte*

ich	sollte
du	solltest
er/es/sie/man	sollte
wir	sollten
ihr	solltet
sie/Sie	sollten

Du solltest Energie sparen.

Ich finde Energiesparen sehr wichtig, aber Internetsurfen ist mein Lieblingshobby.

Wortbildung: Verben – Nomen – Komposita

Wenn ein Verb im Infinitv zum Nomen wird, ist der Artikel immer neutrum: *das*.

sparen – das Sparen – das Energiesparen, das Wassersparen …

surfen – das Surfen – das Internetsurfen, das Windsurfen …

Reisen am Rhein

Das lernst du

– Vorlieben und Abneigungen nennen
– Zustimmen und ablehnen
– Eine Reise planen
– Fahrkarten kaufen

Map labels:
Duisburg
Essen
Düsseldorf
Köln
Bonn
Rhein
Koblenz
Wiesbaden
Frankfurt a.M.
Bingen
Mainz
Mannheim
Ludwigshafen
Rhein
Baden-Baden
Straßburg
Freiburg
Schaffhausen
Konstanz
Basel
Rhein
Bodensee

B

C

E

D

A

Hört die Geräusche und Aussagen. Ordnet sie den Fotos zu. 58

Wählt ein Foto und beschreibt es. Die anderen raten die Stadt.

Auf meinem Foto sieht man keine Menschen. Der Fotograf …

1 Der Rhein

a Schau die Karte auf Seite 51 an. Lies die Texte 1–6. Zu welchen Orten passen sie?

1 Der Rhein kommt aus den Alpen und fließt durch den Bodensee. Bald nach dem Bodensee gibt es einen großen Wasserfall. Er heißt der „Rheinfall von …". Ab Basel fließt der Rhein nach Norden zur Nordsee. Er ist einer sehr wichtiger Fluss für Europas Wirtschaft.

2 Das ist die drittgrößte Schweizer Stadt (nach Zürich und Genf). Es ist eine große Industriestadt, aber es gibt auch viele interessante Museen. Z. B. das Museum Tinguely. Dort kann man verrückte Maschinen-Kunstwerke sehen. Berühmt ist auch die Fasnacht (so heißt hier der Karneval/Fasching).

3 In Deutschlands Ökostadt Nr. 1 gibt es viele Solaranlagen auf den Dächern und 500 km Fahrradwege. Man kann hier ohne Auto leben. Die Fußgängerzone um das Münster (die Kirche) war eine der ersten in Deutschland. Nicht weit von hier ist ein großer Vergnügungspark, der „Europa-Park" in Rust.

4 Diese Stadt hat viel Industrie und einen wichtigen Flusshafen. Sie liegt fast genau zwischen Basel und Köln. Berühmt ist auch die Popakademie, eine Schule für Musiker und Musikproduzenten.

5 Jedes Jahr kommen viele Tausend Touristen an den Rhein zwischen Koblenz und Bingen. Sie besichtigen die alten Burgen und fahren mit dem Schiff auf dem Rhein. Dann hören sie die Geschichte von der Loreley. Die schöne Frau auf dem Felsen hat durch ihr Singen die Schiffer so verrückt gemacht, dass sie mit ihren Schiffen gegen den Felsen gefahren sind.

6 Die Römer haben diese Stadt gegründet. Sie ist eine von den Karnevalsmetropolen am Rhein. Ihr Wahrzeichen ist eine große Kirche, der Dom. 1248 hat man den Bau begonnen und erst 1880 war er fertig. Heute ist die Stadt auch eine Medienstadt. Viele Fernsehsender haben hier Studios. Manche Studios kann man auch besuchen.

b Zu welchen grünen Wörtern im Text passen die Erklärungen?

1 Ein Stadt mit vielen Fabriken.

2. In diesen Straßen darf man nicht Auto fahren. Die Leute können in Ruhe spazieren gehen.

3. Ein Ort am Fluss. Hier halten die Schiffe.

4. Hier gibt es weniger Autos und mehr Fahrräder. Man benutzt die Energie von der Sonne.

5. Ein sehr, sehr großer Stein.

6. Eine große Kirche.

c Schreib eine Frage zum Text.
Lies sie vor. Wer weiß die Antwort?

Wie heißt die Schule für Musiker?

Wo ist ...? Wann war ...?

d Welchen Ort möchtest du am liebsten besuchen? Warum?

2 Präpositionen

Lies die Sätze mit der richtigen Präposition vor.

gegen + Akk
Smarti ist **gegen** den Felsen gefahren.

durch + Akk
Smarti schwimmt **durch** den Rhein.

1. Der Rhein kommt *in/aus/nach* den Alpen.

2. Der Rhein fließt *gegen/zwischen/durch* den Bodensee.

3. Der Rhein fließt *von/auf/in* Süden *auf/aus/nach* Norden.

4. Der Rhein fließt *gegen/durch/zwischen* sechs Länder: die Schweiz, Liechtenstein, Österreich, Deutschland, Frankreich und die Niederlande.

5. Mannheim liegt *auf/in/neben* der Mitte *von/zwischen/bei* Basel und Köln.

6. *In/Auf/Von* dem Rhein fahren viele Schiffe bis Basel.

7. Köln liegt *in/neben/auf* der linken Seite vom Rhein.

8. Der Rhein fließt *vor/unter/in* den Niederlanden *gegen/in/auf* die Nordsee.

Projekte

A Elbe, Donau, Mosel, Main ... – Recherchiert Informationen zu einem Fluss und macht eine Präsentation: Geografie, Geschichte, Wirtschaft, Tourismus, Sport ...

Der Main bei Miltenberg

Schloss an der Donau

Die Elbe in Sachsen

Die Mosel bei Cochem

B Wählt eine Sehenswürdigkeit bei euch aus und macht dafür ein Werbeplakat oder eine Werbepräsentation für deutschsprachige Touristen.

3 Reisepläne

59 **a** Elias und Tim haben Reisepläne. Hör das Gespräch. Welche Fotos passen zur Reise?

A Bodenseerundweg

C Zürich

D Europa-Park Rust

b Hör noch einmal. Was ist richtig? Was ist falsch?

1. Elias verreist mit den Eltern.
2. Tim ist in den Ferien gern bei den Großeltern.
3. Elias mag Museen.
4. Tim möchte gerne am Bodensee wandern.
5. Tim und Elias haben sich schon genau informiert.
6. Elias möchte unbedingt in den Europapark.
7. Das Zwei-Tage-Ticket für den Europapark ist billig.
8. Sie müssen ihre Eltern und Großeltern fragen.

B Rhein bei Koblenz

c Ergänze die Lücken 1–8 im Dialog.

am liebsten – bestimmt – dagegen – eine tolle Idee – lieber – möchte gerne – nicht so toll – O.k.

■ … Wir können zusammen viel machen. Ich **1** nach Basel. Ins Museum Tinguely und ins Kunstmuseum.
● Bitte nicht! Ich bin **2**, dauernd Museen, das ist doch furchtbar langweilig.
■ Wir können ja auch andere Sachen machen. Was willst du denn machen?
● Ich möchte unbedingt etwas Sportliches machen, **3** eine Radtour.
■ Kein Problem, wir können um den Bodensee fahren.
● Das ist **4**, Elias. Hast du das schon mal gemacht?
■ Nee, aber ich kann ein bisschen im Internet recherchieren.
  5, eine Radtour, ein oder zweimal nach Basel und dann …
● Einmal, Tim, das reicht! Und dann **6** ein paarmal in den Europapark.
■ Ein paarmal? Ich finde Freizeitparks **7**. Ich möchte lieber nach Freiburg.
● O.k., zweimal Europapark und einen Tag Freiburg und einmal Basel, die Kunstmuseen.
■ Der Europapark ist **8** sehr teuer.

um + Akk

um den See fahren

v …

4 Wiederholung: Adjektive vor dem Nomen

a Ergänze die Sätze mit Adjektiven in der richtigen Form. Die Sätze können verrückt sein.

1. Ich möchte mit meiner ▮1 Freundin eine ▮2 Fahrt auf
   ▮3 der Elbe machen.

2. Morgen besichtigen mein ▮1 Vater und meine ▮2
   Schwester den ▮3 Fernsehturm in Berlin.

3. Ich möchte einen ▮1 Urlaub an einem ▮2
   See im ▮3 Schwarzwald machen.

4. Die ▮1 Geschichte von der ▮2 Loreley
   findet meine ▮3 Mutter sehr schön.

5. Der ▮1 Popstar trägt eine ▮2 Halskette und in der
   Nase einen ▮3 Ring.

> Ich möchte mit meiner neuen Freundin eine ruhige Fahrt auf der schönen Elbe machen.

> Ich möchte mit meiner ruhigen Freundin eine langweilige Fahrt auf der warmen Elbe machen.

> Ich möchte mit meiner fantastischen …

b Städterätsel – Beschreib einen Ort aus deiner Region oder einen aus prima^plus°, zu dem du unbedingt / auf keinen Fall fahren möchtest. Benutze dabei Adjektive. Die anderen raten.

Wo?	⊙ Dort.
Wohin?	→ Dorthin.

> Meine Stadt liegt in der Schweiz.
> Sie ist die zweitgrößte Stadt von der Schweiz und hat einen großen Flughafen. Der große See bei der Stadt heißt wie die Stadt. Dort wohnt meine nette Brieffreundin. Deshalb möchte ich unbedingt einmal dorthin fahren.

5 Phonetik: viele Konsonanten

60 **Hör zu und sprich nach. Einmal langsam, einmal schnell.**

zwischen – die Quelle – Deutschland –
das Kunstmuseum – die Industriestadt –
der drittgrößte Fluss – der Vergnügungspark –
die wichtigste Stadt

> Bitte keine „e" oder „i" zwischen den Konsonanten sprechen und keine Konsonanten weglassen.

6 Dialoge üben

a Lest die Sätze und schreibt fünf Vorschläge für Ausflüge oder Reisen in eurer Region auf.

Vorschläge machen	Auf Vorschläge reagieren
Wollen wir im Juli nach … fahren?	Was kann man da machen?
Sollen wir … machen?	Was willst du in … machen?
Wir können vielleicht …	Das ist eine tolle Idee. / Das ist super.
Ich möchte unbedingt/gerne …	Einverstanden, ich bin auch dafür.
Wir können nach / in die … fahren.	Das möchte ich nicht. / Das gefällt mir nicht.
In … gibt es …	Ich bin dagegen.
Man kann von dort nach / in die / auf den … fahren.	Ich möchte gern/lieber / am liebsten …

b Spielt Dialoge zu euren Vorschlägen: Vorteile/Nachteile, Alternativen, Kosten …

61 **7** Am Fahrkartenschalter

a Lies 1–6 und den Reiseplan. Hör zu: was ist richtig? Was ist falsch?

die BahnCard 25 (25% billiger)

ICE (Intercity-Express)

IC (Intercity)

1. Sara möchte nach Koblenz fahren.
2. Sie bekommt die Fahrkarte nicht billiger.
3. Der Zug fährt kurz vor 11 von Gleis 4.
4. Sie fährt mit einem ICE.
5. Sie muss dreimal umsteigen.
6. Sie reserviert einen Platz am Fenster.

Bordrestaurant

RE (Regionalexpress)

Detailansicht

Bahnhof/Haltestelle	Datum	Zeit	Gleis	Produkte	Bemerkungen
Freiburg (Breisgau) Hbf	Mi, 27.08.08	ab 10:57	4	🚆 ICE 372	Intercity-Express
Mannheim Hbf	Mi, 27.08.08	an 12:22	2		Bordrestaurant
Mannheim Hbf	Mi, 27.08.08	ab 12:39	2	🚆 IC 2112	Intercity
Koblenz Hbf	Mi, 27.08.08	an 14:10	3		Fahrradmitnahme reservierungspflichtig, Fahrradmitnahme begrenzt möglich, Bordrestaurant

Dauer: 3:13; fährt täglich, nicht 20., 21. Sept
→ Zwischenhalte einblenden

→ In Kalender eintragen   Preis: 64,00 EUR   zur Buchung

b Hör den Dialog noch einmal und lies mit.

Teil 1: Ort und Datum

● Guten Tag, ich hätte gern eine Fahrkarte von Freiburg nach Koblenz.
■ Für wann?
● Für übermorgen.
■ Hin und zurück?
● Nein, einfach.
■ Haben Sie eine BahnCard?
● Ja, BahnCard 25.

Teil 2: Uhrzeit und Zugtyp

■ Um wie viel Uhr möchten Sie fahren?
● Um zehn.
■ Um 10 Uhr 57 fährt ein ICE.
● Gibt es noch eine Möglichkeit?
■ Erst wieder um 12 Uhr 47.
● Dann nehme ich den Zug um 10 Uhr 57. Von welchem Gleis fährt der Zug?
■ Gleis 4.

Teil 3: Reservierung

■ Möchten Sie reservieren?
● Ja, bitte.
■ 1. oder 2. Klasse?
● 2. Klasse.
■ Fenster oder Gang?
● Wie bitte?
■ Möchten Sie am Fenster sitzen oder am Gang?
● Am Fenster bitte.
■ Gut, das kostet dann zusammen 64 Euro.

c Spielt die Dialoge.

8 Sprechen üben: nachfragen

62–65 Hör zu. Was fehlt bei den Dialogen? Frag bei Dialog 2–4 nach wie bei Dialog 1.

um wie viel Uhr – wie viel – von welchem ... – wie viel

Dialog 1

● Der ICE fährt um ...
■ Wie bitte? Um wie viel Uhr fährt der ICE?
● Der ICE fährt um 13 Uhr 15.
■ Danke schön.

9 Rollenspiel: Dialoge am Bahnhof

a Bereitet Dialoge vor und spielt zu zweit.

Kunde 1

Strecke	Heidelberg → Köln
Datum	12.3.–16.3.
Ermäßigung	BahnCard
Verbindung	ICE
Abfahrt – Ankunft	12.36–18.48
umsteigen	Mannheim
Reservierung	2. Klasse
Preis	53,25 €

Kunde 2

Strecke	Bingen → Straßburg
Datum	morgen
Ermäßigung	nein
Verbindung	Regionalexpress + EuroCity
Abfahrt – Ankunft	14.55–20.01
umsteigen	Mainz + Karlsruhe
Reservierung	2. Klasse, Fenster
Preis	38,50 €

b Sprachmittlung – Spielt zu dritt Situationen bei euch am Bahnhof/Busbahnhof.

Eine deutschsprachige Person spricht eure Sprache nicht und bittet euch um Hilfe beim Fahrkartenkauf. Sie möchte in eine andere Stadt fahren und braucht Informationen über: die Abfahrtszeiten, die Dauer von der Fahrt, den Preis usw.

TIPP

Sprechsituationen vorbereiten

Wenn man reist, gibt es viele Situationen immer wieder.

Auf diese Situationen kann man sich vorbereiten.

Probiert es aus. Sammelt Wörter und Ausdrücke zu diesen Themen:

1. bei einer Jugendherberge anrufen
2. nach dem Weg fragen
3. nach Sehenswürdigkeiten fragen
4. etwas zum Essen bestellen

Überlegt: Was wollt ihr wissen, was können die Antworten sein?

Haben Sie am 18. Juni ein Zimmer frei? Ja/Nein/Für wie viele Personen?

Wie viele Nächte? Mit Bad oder ohne Bad?

Vorlieben und Abneigungen nennen

Ich möchte eine Radtour machen.

Ich möchte lieber nach Freiburg.

Das wird bestimmt super.

Ich finde diese Freizeitparks nicht so toll.

Zustimmen und ablehnen

Einverstanden. Ich bin (auch) dafür.

Das ist eine tolle Idee.

Das ist super.

Ich bin dagegen.

Das ist bestimmt sehr teuer / zu teuer.

Das ist doch furchtbar langweilig.

Eine Reise planen

Wohin wollen wir fahren?

Wollen wir im Juli nach … fahren?

Was kann man da machen?

Was willst du in … machen?

Was kostet die Jugendherberge / der Eintritt?

Wir können nach / in die … fahren.

Man kann von dort nach / in die … fahren.

Das möchte ich nicht. / Das gefällt mir nicht.

Ich möchte gern/lieber / am liebsten …

In … gibt es …

Fahrkarten kaufen

Ich hätte gerne eine Fahrkarte nach Rostock.

Für morgen/übermorgen/Freitagmorgen.

Etwa um 10 Uhr. / Zwischen zehn und elf.

Hin und zurück.

Mit/Ohne BahnCard.

1. Klasse. / 2. Klasse.

Ich möchte einen Sitzplatz reservieren.

Am Fenster / Am Gang, bitte.

Gibt es ein Sonderangebot / Ermäßigungen?

Muss ich umsteigen?

Außerdem kannst du …

… Texte zu verschiedenen Orten und Landschaften verstehen.

… einen Fluss präsentieren.

… einen Reiseplan machen und Situationen auf einer Reise vorbereiten.

Grammatik   kurz und bündig

Lokalangaben

	Wo? ● (Dativ) dort	Wohin? → (Akkusativ) dorthin
Orte	in Graz	nach Graz
Länder	in Deutschland	nach Deutschland
	in der Schweiz	in die Schweiz
Kontinente	in Afrika	nach Afrika
	in der Antarktis	in die Antarktis
Flüsse und Seen	am Rhein	an den Rhein
	an der Donau	an die Donau
	am Bodensee	an den Bodensee
Berge	auf der Zugspitze	auf die Zugspitze
	auf dem Matterhorn	auf das Matterhorn

Immer Akkusativ:	durch	den Fluss / das Tal / die Straße	gehen
	gegen	den Felsen / das Auto / die Wand	fahren
	um	den Bodensee / den Dom (herum)	fahren

Ein Abschied

Das lernst du

- Ein Problem beschreiben
- Vor- und Nachteile formulieren
- Über Geschenke sprechen
- Über eine Person sprechen/streiten

Seht euch die Bilder an. Was ist hier passiert?

Erfindet in Gruppen eine Geschichte zu den vier Bildern.

> Ich muss euch was sagen. Ich bin im nächsten Schuljahr …

> Was? Das gibt es doch gar nicht. Das finde ich …

die Kiste – Kisten packen – die Sachen packen – umziehen – der Umzug – die Party – das Abschiedsgeschenk – spannend – langweilig – die Freunde verlieren – neue Freunde finden – tolle Chance – Mist! – alles ist neu – Angst haben – traurig sein – glücklich sein – etwas Neues kennenlernen – Spaß machen – ätzend sein

Hört das Gespräch. Wer war nahe an der „wahren" Geschichte?

66

1 Was ist los, Georg?

66 **a** Lies 1–5. Hör das Gespräch noch einmal und korrigiere die falschen Aussagen.

1. Georg ist ab nächster Woche nicht mehr in seiner Schule.
2. Sein Vater hat eine Arbeitsstelle im Ausland.
3. Georg findet es toll, dass er ins Ausland gehen kann.
4. Die Klasse will noch eine Abschiedsreise mit Georg machen.
5. Alle finden, dass es blöd ist, wenn man ins Ausland umzieht.

b Lest Georgs E-Mail. Fragt euch gegenseitig in der Klasse: *wer, wem, wohin, warum, was, wie* …?

Neue Mail	⇨ **Senden**

Hi, Jakob, 🙁

weißt du schon, dass wir nach Russland gehen? Meine Mutter hat eine tolle Stelle in Moskau an der Universität. Das ist natürlich super für SIE, aber NICHT für mich! Mein Vater freut sich auch über diese Chance, sagt er. Ich ärgere mich total über meine Eltern. Können sie nicht noch auf mein Abitur warten? Ich habe so tolle Freunde hier, Ben, Paul, Halil und auch Lea. Und mein Fußballteam – wenn ich weggehe, gehöre ich nicht mehr zum Team. Dann machen sie alles ohne mich. Moskau ist so weit weg von hier, mehr als fünf Stunden mit dem Flugzeug. Ich weiß nicht, wie das gehen soll. Ich habe schon viel mit meinen Eltern über diese Probleme diskutiert, aber sie verstehen mich nicht. Sie sagen, ich soll mich für das Neue interessieren, soll optimistisch und offen sein. Aber ich bin traurig und wütend und kann mich über gar nichts mehr freuen.

Vielleicht kann ich zu euch ziehen? Dann bin ich nicht so weit weg von Frankfurt. Was hältst du von der Idee? Antworte mir bitte schnell auf diese Mail! Ich brauche deine Hilfe!!!!

Georg ☹

c Verben mit Präpositionen – Lies die E-Mail noch einmal und suche die Präpositionen zu den Verben im *Denk nach*.

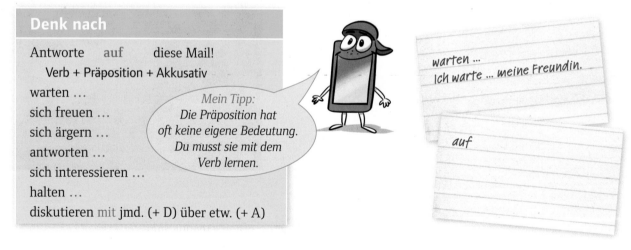

Denk nach

Antworte **auf** diese Mail!
   Verb + Präposition + Akkusativ

warten …

sich freuen …

sich ärgern …

antworten …

sich interessieren …

halten …

diskutieren mit jmd. (+ D) über etw. (+ A)

Mein Tipp:
Die Präposition hat oft keine eigene Bedeutung. Du musst sie mit dem Verb lernen.

warten …
Ich warte … meine Freundin.

auf

d Sprecht zu zweit. A wählt einen Satzanfang und B findet den passenden Schluss.

1. Georg ärgert sich
2. Georgs Eltern interessieren sich
3. Georgs Vater freut sich
4. Georg diskutiert mit seinen Eltern
5. Georg hält nichts
6. Georg wartet
7. Jakob antwortet bestimmt schnell

a) auf die Mail von Georg.
b) für Russland.
c) über die gute Stelle.
d) über seine Sorgen.
e) auf eine Antwort von Jakob.
f) über den Umzug.
g) von einem Auslandsaufenthalt.

e Schreib Sätze über dich. Vergleicht eure Sätze in der Klasse.

Ich freue mich auf …, weil …

Ich ärgere mich über …

Ich warte auf …

Ich diskutiere mit meinen Eltern oft über …

Ich interessiere mich für …

Ich halte nichts von …, weil …

Ich freue mich auf die neue Smartisoftware 5.0., weil ich dann noch mehr Tipps geben kann.

2 Eine E-Mail schreiben

a Beantworte Georgs E-Mail. Berücksichtige die folgenden Punkte:

– Wie findest du die Situation von Georg?

– Was kann Georg machen?

– Wie kannst du Georg helfen? Wie kannst du ihn trösten?

Lieber Georg,
ich kann verstehen, dass …

b Korrigieren – Sammelt in der Klasse:
Auf welche Probleme muss man achten?

– Wortstellung: Stehen die Verben richtig?

– Verbformen …

c Arbeitet zu zweit. Tauscht eure E-Mails aus und korrigiert sie.

– …

3 Ins Ausland gehen

a Lest den Text und ergänzt die fehlenden Wörter für 1–6.

Länder – Gründe – Jahr – 81 Mio. Einwohnern – Löhne – Menschen

b Sammelt in der Klasse. Wie viele Pro- und Kontra-Argumente findet ihr?

dafür — neue Sprache

dagegen — man muss Freunde finden

Auswanderer und Zuwanderer

Im **1** 2013 sind fast 800.000 Menschen von Deutschland weggezogen. Die **2** sind meistens bessere Berufsaussichten, höhere **3**, gute Kinderbetreuung oder Rückkehr in die Heimat. Die beliebtesten **4** für deutsche Auswanderer sind die Schweiz, Österreich und die USA. Allerdings sind 2012 auch über eine Million **5** nach Deutschland gekommen. Über 15 % von den **6** Deutschlands sind Menschen mit Migrationsgeschichte. Quelle: Statista 2014

Ein Vorteil ist, dass man andere Menschen trifft.

Es ist gut, wenn man eine neue Sprache lernt.

Ich finde, das ist eine echte Chance, weil …

Für mich ist ein Leben im Ausland nicht interessant, weil …

Ein Nachteil ist, dass …

Ich möchte nicht …, denn …

Es ist traurig, wenn …

Am Anfang ist es bestimmt …, aber später …

Aber ich glaube, dass …

c Und bei euch? Wandern mehr Menschen aus oder ein? Wie war es vor 10 und vor 50 Jahren?

4 Abschiedsgeschenke für Georg

a Georgs Freunde diskutieren über ein Geschenk. Hör zu und notiere: richtig oder falsch.

1. Sie wollen ihm ein Wörterbuch schenken.
2. Sie wollen ihm alle zusammen ein Buch über Russland schenken.
3. Zwei treffen sich am Nachmittag in der Stadt und kaufen ein Buch.
4. Georg mag die Musik von den „Prinzen".
5. Sie brauchen noch mehr Geschenkideen.

b Was schenken ihm seine Freunde? Schreib Sätze.

1. Tom schenkt seinem Freund Georg …
2. Sylvie und Marie schenken ihm …
3. Alle zusammen …

c Wiederholung. Wem? – Ergänze. Es gibt mehrere Möglichkeiten.

dir – uns – seinen Freunden – Georg – seiner Freundin – meiner Mutter – …

1. Ich kann ? die Kopfhörer für 20 Euro verkaufen.
2. Mein Bruder leiht ? morgen sein Moped.
3. Bitte bring ? Kaugummis mit.
4. Meine Mutter erzählt ? eine spannende Geschichte.
5. Er schreibt ? eine Kurznachricht.
6. Ich repariere ? das Fahrrad.
7. Ich habe ? einen Ring gekauft.
8. Georgs Mutter kauft ? einen neuen Computer.

> *Ich kann dir die Kopfhörer für 20 Euro verkaufen.*

> *Ich kann ihm …*

Dativ vor Akkusativ

	Wem? Person	Was? Sache
Sie schenken	ihm	ein T-Shirt.
Er leiht	seinem Freund	sein Tablet.

d Geschenke – Wem kann man was schenken?

Gruppe A
Geschenke für den kleinen
Bruder / die kleine Schwester

Gruppe B
Geschenke für den besten
Freund / die beste Freundin

Gruppe C
Geschenke für Mutter/Vater

> *Wir schenken unserer kleinen Schwester eine Puppe.*

> *Wir schenken unseren Eltern …*

68 **5** Vielen Dank für die Party

a Hör das Lied von Samuel Reißen. Welche Fotos passen und warum?

b Lest den Text. Wohin passen die grünen Textzeilen 1–5?

Vielen Dank für die Party.
Auf Wiedersehn!
a
aber ich muss gehen.

Ich bin hier geboren worden und
wir sind zusammen jeden Tag zur Schule gegangen.
b
Doch jetzt bleibt uns leider nur wenig Zeit.

Denn
bald schon ziehen meine Eltern weg,
weinen und meckern hat keinen Zweck,
c
so viele nette Menschen meine Freunde sind.
Also hört mir zu:
d
und glücklich sein, dass es uns alle gibt!

Vielen Dank für die Party.
Auf Wiedersehn!
e
aber ich muss gehen.

1 Lasst uns feiern bis morgen früh.
2 Es war schön, euch immer wieder zu sehn,
3 Bis bald! Es war schön,
4 ich bin froh, dass ich euch alle kenn,
5 Bis bald! Es war schön,

c Hört das Lied und singt mit.

68 **d** Sprechen üben – Du hörst drei Äußerungen je zweimal.
Wie sprechen die Jugendlichen: traurig, sachlich oder fröhlich?

1 sachlich

6 Der will ja nicht mit uns reden.

a Georg, Rico und Siri – Lies Anfang von der Geschichte. Wer sind die drei Personen? Notiere zu jeder Person zwei Sätze. Vergleicht in der Klasse.

Seit drei Wochen ist Georg in seiner neuen Schule. Die Jungs und Mädchen in seiner Klasse sind ganz o.k. Die meisten kennen sich seit dem Kindergarten. Sie
5 haben schon ihre Freunde und am Wochenende machen sie fast immer etwas mit der Familie.

Vorne links am Fenster sitzt Siri. Georg findet sie sehr nett. Sie lacht gern und
10 dann findet Georg sie besonders schön. Aber Siri beachtet ihn gar nicht. Sie schaut immer zu Rico.

Rico ist der „King". Ohne ihn geht nichts in der Klasse. Keiner tut etwas, was
15 Rico nicht passt. Rico ist ein Jahr älter als die anderen und ein Super-Sportler. Er sieht ganz gut aus, aber nicht so gut, wie er glaubt, findet Georg. Georg findet Rico ätzend. Was findet Siri an so einem Typ?
20 Georg versteht es nicht.

b Der Streit – Lies die Worterklärungen 1–8. Lies dann den Text und ordne die grünen Wörter und Ausdrücke den Worterklärungen zu.

In einer Pause gerät Rico mit Alex aneinander, als Georg gerade neben Siri auf dem Pausenhof steht. „Bin gespannt, wer das gewinnt", sagt Georg zu Siri. „Mir egal", antwortet Siri, „ich finde diese Streitereien von den Zwerg-Machos sowieso blöd." „Ich denke, du magst Rico?", rutscht es Georg raus. „Wie kommst du denn darauf?", gibt Siri zurück.
25 Frau Hackstein geht dazwischen. Rico und Alex schäumen vor Wut, Georg lächelt zufrieden. Vielleicht hat er doch eine Chance bei Siri? Rico schaut zu Siri und bemerkt Georg.

1. *hier:* antworten
2. sich streiten, miteinander kämpfen
3. Ich möchte sehr gerne wissen …
4. Schimpfwort: Jungs spielen die starken Männer.

5. *hier:* sehen
6. Man will etwas gar nicht sagen, aber man sagt es plötzlich.
7. *hier:* Zwei kämpfen und eine Person trennt sie.
8. sehr, sehr wütend sein

c Probleme – Lies bis Zeile 35, ordne die Bilder zu. Erzähle, was auf den Bildern passiert.

Am nächsten Tag fehlt morgens der Stuhl an Georgs Platz. Georg wundert sich, dann sieht er seinen Stuhl, er hängt über der Tafel. Alle lachen, als er ihn runterholt, Siri auch.

Am Tag danach, in der Mathestunde, sucht Herr Behrendt die Tafelstifte. Sie sind weg. Herr Behrendt
30 ist wütend und sucht in der Klasse. Sie liegen unter Georgs Tisch und Georg bekommt eine Strafarbeit. Rico grinst, Georg sagt nichts.

Und so geht es weiter. Manche in der Klasse finden das lustig und keiner tut etwas. Georg ist ratlos, traurig und wütend. Manchmal sieht er auch Siri mit den anderen lachen und er traut sich nicht mehr, mit ihr zu sprechen. Auch mit den anderen will er nichts mehr zu tun haben. Gott sei Dank hat
35 er noch seine Gitarre. Beim Musikmachen vergisst er alles.

d Lies die Geschichte noch einmal von Anfang bis Zeile 35. Warum hat Georg Probleme?

e Ein Riesenerfolg – Lies das Ende von der Geschichte. Was ist passiert? Sammelt Ideen in Gruppen.
Vier Wochen später hat die Band beim Schulfest ihren ersten Auftritt mit ihrem neuen Gitarristen Georg. Ein Riesenerfolg.

70 **f** „Ich habe ja nichts gegen ihn." – Wer sagt was? Hör den Mittelteil von der Geschichte und ordne die Sprechblasen 1–4 den Personen zu.

Projekt

Jemand ist neu bei euch. Wie könnt ihr helfen? Ihr kennt die Listen „FAQ" (frequently asked questions / häufig gestellte Fragen).

a Macht zu zweit Listen mit je 5 Fragen zum Leben bei euch.
b Wählt in der Klasse 15 Fragen aus.
c Schreibt in Gruppen Texte zu euren Fragen.
d Stellt eure Informationstexte in der Klasse vor.

Mögliche Themen: Schule, Freizeit, Essen, Freunde, Sport, Tourismus, Regeln für Jugendliche, Verbote, Pflichten …

Wie ist das Klima? – Wo kann man …? – Wo treffen sich …? – Was macht man, wenn …?
Wer hilft mir, wenn …? – Was muss ich tun, dass …? – Kann man im Winter/Sommer …? …

Ein Problem beschreiben

Ich ärgere mich über meine Eltern.
Ich weiß nicht, wie das gehen soll.
Ich habe schon viel mit meinen Eltern über diese Probleme diskutiert, aber sie verstehen mich nicht.
Ich bin traurig und wütend und kann mich über gar nichts mehr freuen.

Vor- und Nachteile formulieren

Ein Vorteil ist, dass man …
Es ist gut, wenn man …
Ich finde, das ist eine echte Chance, weil man …

Ein Nachteil ist, dass man …
Es ist traurig, wenn …
Man muss neue Freunde finden.

Über Geschenke sprechen

Was wollen wir ihm schenken?
Wir können ihm einen Basketball schenken.
Georgs Tante hat ihm zum Abschied einen tollen Kopfhörer geschenkt.

Über eine Person sprechen/streiten

Ich weiß gar nicht, was du gegen den hast.
Der redet ja nicht mit mir.
Der glaubt, dass er was Besseres ist.
Mit uns will der doch nichts zu tun haben.

Ich habe ja nichts gegen ihn.
Ah, so ist das. Das ist so ein Quatsch!
Du, … will mit dir reden.

Außerdem kannst du …

… einen Lied über Geschenke verstehen.
… eine E-Mail mit Ratschlägen schreiben.
… eine Geschichte verstehen.

Grammatik   kurz und bündig

Verben mit Präpositionen

sich ärgern über (+ A)	Georg ärgert sich über den Umzug.
sich freuen über (+ A)	Sie freuen sich über die tolle Chance.
diskutieren über (+ A)	Sie haben viel über Georgs Sorgen diskutiert.
warten auf (+ A)	Er wartet auf eine Antwort.
antworten auf (+ A)	Jakob soll schnell auf die E-Mail antworten.
sich interessieren für (+ A)	Er interessiert sich für Fußball.
halten von (+ A + D)	Georg hält nichts von einem Auslandsaufenthalt.
träumen von (+D)	Georg träumt von seinen alten Freunden.

Verben mit zwei Ergänzungen

	Person (Wem?)	Sache (Was?)	
Ich schenke	ihm	ein Buch.	
Er schenkt	seiner Freundin	einen Ring	zum Geburtstag.

Die Person steht meistens im Dativ und die Sache im Akkusativ.

Einige Verben mit zwei Ergänzungen: bringen, erklären, erzählen, holen, kaufen, leihen, mitbringen, reparieren, schenken, schicken, schreiben, verkaufen, wünschen, zeigen …

Mündliche Prüfung Fit A2

Teil 1

Arbeitet zu zweit, jede/r nimmt drei Karten. Mit den Wörtern auf der Karte stellt ihr Fragen. Euer Partner / Eure Partnerin antwortet.

Geschwister?

Geburtstag?

Land?

Wohnort?

Lieblingsfach?

Hobby?

Freunde?

Sprachen?

Teil 2

Wir möchten dich und dein Leben näher kennenlernen. Was machst du in den Ferien? Erzähle.

zu Hause bleiben

wegfahren

Freunde/Verwandte besuchen

…?

Teil 3

Ihr wollt eine Klassenparty machen. Ihr müsst Essen einkaufen. Wann könnt ihr euch treffen?

Samstag, 8. Juni	
8.00	mit dem Hund raus
9.00	
10.00	Mathe/Deutsch/Bio lernen
11.00	
12.00	
13.00	
14.00	Essen (Oma kommt)
15.00	
16.00	
17.00	mit dem Hund raus
18.00	
19.00	Alina Kino
20.00	
21.00	

Samstag,	
8.00	
9.00	ausschlafen
10.00	
11.00	für Oma einkaufen
12.00	Mittagessen
13.00	
14.00	Rolf: Mathe lernen
15.00	
16.00	
17.00	
18.00	
19.00	Judotraining
20.00	
21.00	Fernsehen: Bayern – Madrid

DSD Mündliche Prüfung A2 – DSD

Teil 1: Gespräch

Training für Teil 1

– Arbeitet in Gruppen und verteilt die Themen.

– Jede Gruppe schreibt zu ihren Themen mindestens 5 Fragen.

Schultag	Kleidung in der Schule	Wochenende	Ferien	Geburtstag	Familienfest
Wohnung Haus Zimmer	Wohnort Straße	Freizeit	Musik-instrument	Sport	Hobby
Lieblingstier Haustier	Lieblingsessen	Familie	Freund Freundin	Beruf in der Zukunft	Schule

– Tauscht nun die Gruppen und arbeitet dann zu zweit.
A fragt B und B fragt A zu jeweils mindestens 2 von
den Themen.

> *Schultag*
> *Wie kommst du zur Schule?*
> *Wann beginnt dein Unterricht?*
> *Welche Schulfächer hast du?*

Teil 2: Eine Präsentation

Training für die Präsentation

– Sammelt Themen für eine Präsentation.

> *Ich möchte mein Hobby präsentieren: Kitesurfen.*

> *Ich spiele Klavier. Ich möchte über Musik sprechen.*

> *Wir haben über das Thema „Umwelt" gesprochen. Ich möchte Tipps zum „Energiesparen" vorstellen.*

– Eine Präsentation vorbereiten. Arbeitet zu zweit. Lest die Schritte und bringt sie in eine sinnvolle Reihenfolge.

den Text korrigieren   den Text schreiben   den Text laut lesen   Stichworte auswählen   Stichworte notieren

Informationen sammeln

ein Plakat / eine PP-Präsentation machen   Stichworte aus dem Text nehmen   ein Thema auswählen

die Präsentation sprechen   eine Gliederung machen   passende Redemittel sammeln

...

Präsentation

...

Literatur

Die Geschichte von der Loreley ist in Deutschland und
in der ganzen Welt bekannt. Jedes Jahr kommen viele
Tausend Touristen zum Loreleyfelsen. Dort hören sie die
Sage von der Loreley und das Lied von der Loreley mit
dem Text von Heinrich Heine.

Das mittlere Rheintal ist eng und gefährlich. Der Sage
nach hat ein blondes, langhaariges Mädchen mit dem
Namen Loreley auf dem Felsen am Rhein gesessen, ihr
goldenes Haar gekämmt und dabei gesungen. Sie hatte eine wunderschöne Stimme.
Ihr Aussehen und der Gesang waren so schön, dass die Schiffer auf dem Rhein zur
Loreley hinaufsahen und nicht auf die gefährlichen Stellen im Rhein aufpassten. Viele
Schiffe fuhren auf die Felsen im Fluss und sanken. Viele Schiffer verloren ihr Leben.

71 **Heinrich Heine**

Ich weiß nicht was soll es bedeuten,
Dass ich so traurig bin;
Ein Märchen aus alten Zeiten,
Das kommt mir nicht aus dem Sinn[1].

Die Luft ist kühl und es dunkelt
Und ruhig fließt der Rhein;
Der Gipfel des Berges funkelt
Im Abendsonnenschein.

Die schönste Jungfrau sitzet
Dort oben wunderbar,
Ihr goldnes Geschmeide blitzet[2],
Sie kämmt ihr goldenes Haar.

Sie kämmt es mit goldenem Kamme
Und singt ein Lied dabei;
Das hat eine wundersame,
Gewaltige Melodei[3].

Den Schiffer im kleinen Schiffe
Ergreift es mit wildem Weh[4];
Er schaut nicht die Felsenriffe[5],
Er schaut nur hinauf in die Höh.

Ich glaube, die Wellen verschlingen
Am Ende Schiffer und Kahn[6];
Und das hat mit ihrem Singen
Die Lore-Ley getan.

[1] ich muss immer daran denken [2] ihr Goldschmuck
funkelt/leuchtet [3] tolles Lied [4] großer Schmerz
[5] Felsen/Steine im Fluss [6] das Schiff sinkt und der
Schiffer verliert sein Leben

Berlin, Berlin

1 Vor dem Sehen

Was denkt ihr, welche Sehenswürdigkeiten sieht man in einem Clip über Berlin?

2 Beim Sehen

a Welche Sehenswürdigkeiten seht ihr tatsächlich im Clip? Notiert.

b Lest die Fragen. Seht dann das Video noch einmal an. Sucht Informationen zu den Fragen.

1. Wie viele Pferde sind auf dem Brandenburger Tor?
2. Welche Farbe hat die S-Bahn?
3. Welche Bilder sind auf der Mauer?
4. Wo kann man Stars auf der Berlinale sehen?
5. Was machen die Leute in der Kuppel?
6. Wie viel Uhr ist es auf der Uhr von der Gedächtniskirche?
7. Welche Farbe haben die Taxis?
8. Wie sieht die Berliner Currywurst aus?

3 Nach dem Sehen

Was ist in eurer Stadt wichtig? Sammelt Fotos und stellt Sehenswürdigkeiten vor.
Übt die Sätze zu den Sehenswürdigkeiten und sprecht wie ein Fremdenführer.
Ihr könntet die Präsentation auch auf Smartphone aufnehmen und in der Klasse vorführen.

Das Referat

1 Vor dem Sehen

a Welche Wörter passen zu den Fotos?

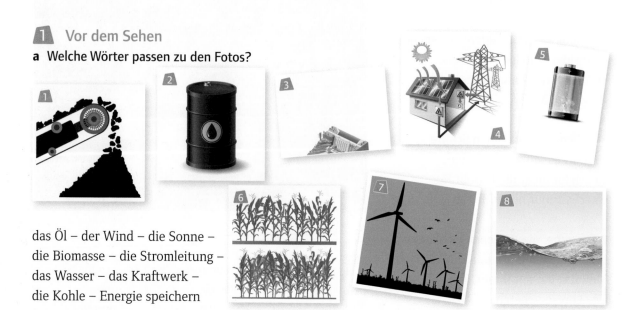

das Öl – der Wind – die Sonne –
die Biomasse – die Stromleitung –
das Wasser – das Kraftwerk –
die Kohle – Energie speichern

b Welche Energiesorten sind erneuerbar, welche nicht? Mach eine Tabelle.

2 Beim Sehen

Kiki und Jan müssen für die Schule ein Referat zum Thema „Energie aus Windkraft, Wasserkraft und Atomkraft" machen. Sie brauchen Informationen und fahren zur Mediathek. Dort sehen sie ein Video.

a Seht den Videoclip an. Bekommen Kiki und Jan Informationen für alle drei Teile vom Referat?

b Seht die Fotos an und seht dann den Videoclip noch einmal. Welche Informationen bekommt ihr zu den Bildern?

das Kombikraftwerk

das Kohlekraftwerk

der Gletscher/Eisberg

die Windräder

die Stromleitungen

der Wasserspeicher

3 Nach dem Sehen

Woher kommt die Energie, die ihr in der Schule oder zu Hause verwendet? Recherchiert und präsentiert eure Ergebnisse in der Klasse.

Fahren wir nach Bonn?

1 Vor dem Sehen

Mit der Bahn fahren. Sammelt wichtige Wörter.

die Fahrkarte ——— (*mit der Bahn fahren*) ——— *der Sparpreis*

2 Beim Sehen

1. Wo sind Kiki und Jan?
2. Was wollen sie am Wochenende machen?
3. Mit wem telefoniert Kiki?
4. Wann fahren Kiki und Jan nach Bonn? (Tag und Uhrzeit)

3 Nach dem Sehen

Was sagt die Mutter vielleicht am Telefon? Schreibt und spielt einen Dialog.

Das Rheinland

 1 Vor dem Sehen

Was wisst ihr über den Rhein? Sammelt in der Klasse.

2 Beim Sehen

Teil 1: Am Bahnhof – Schaut den Videoclip und beantwortet die Fragen.

1. Warum benutzen Kiki und Jan nicht die Rolltreppe?
2. Was steht auf der Anzeigetafel?
3. Warum sitzen sie auf der Bank und warten?

Teil 2: Burgen am Rhein

Lest den Text und seht dann das Video und notiert Informationen zu den Fotos.

Am Rhein zwischen Rüdesheim und Koblenz gibt es viele Burgen. 1975 hat die Familie Hecher die Burg Rheinstein gekauft. Markus Hecher war damals 16 Jahre alt.

Katharina Hecher, die jüngste Schwester von Markus, ist auf der Burg geboren und aufgewachsen.

Internet-Suchwort: Rheinstein

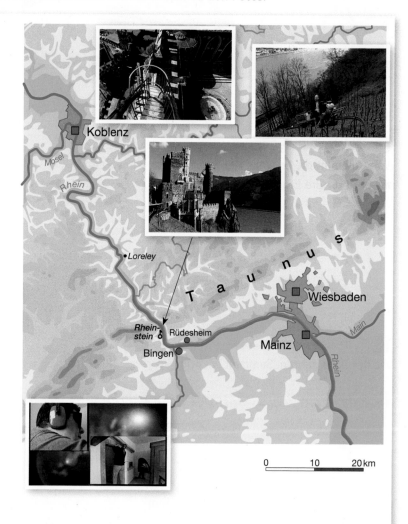

3 Nach dem Sehen

Möchtet ihr auf der Burg Rheinstein leben?
Was sind die Vorteile und was sind die Nachteile?

Alphabetische Wortliste

Die alphabetische Wortliste enthält alle neuen Wörter von prima^plus A2.2 mit Angabe der Einheit, der Aufgabe und der Seite, wo sie zum ersten Mal vorkommen (1/8a/7).

Fett gedruckte Wörter sind der Lernwortschatz nach den gängigen Prüfungslisten. Bei den Nomen stehen der Artikel und die Pluralform (Abfahrt, die, -en). Manche Nomen kommen nicht oder nur selten im Plural vor. Hier steht „nur Sg." Manche Nomen kommen nicht oder nur selten im Singular vor. Hier steht „nur Pl.".

Bei Verben mit Vokalwechsel und bei unregelmäßigen Verben stehen neben dem Infinitiv auch die 3. Person Sg. Präsens und das Partizip (abgeben, gibt ab, abgegeben). Bei den trennbaren Verben sind die Präfixe kursiv markiert (aufstehen).

Ein . oder ein _ unter dem Wort zeigt den Wortakzent: _ langer Vokal oder . kurzer Vokal (Abendessen, Abfahrt).

Der Lernwortschatz steht auch auf der Seite „Deine Wörter" im Arbeitsbuch.

A

Abendessen, das, - 12/8a/48
Abfahrt, die, -en 13/9a/57
Abfahrtstag, der, -e 11/8c/41
Abgeordnete, der/die, -n 11/8a/40
Abschiedsgeschenk, das, -e
  14/AT/59
Abschiedsreise, die, -n 14/1a/60
Ach nee. 10/10a/26
Ach! 11/8a/40
Achterbahn, die, -en 9/1a/14
Affenhitze heute! 12/2b/45
Ahnung, die, -en (Ahnung haben)
  10/11a/27
Aktion, die, -en 12/6a/47
Alkohol, der, nur Sg. 9/1a/14
allerdings 14/3a/61
Alpenregion, die, -en 12/4d/46
Altersklasse, die, -n 8/9a/11
Altstadtfest, das, -e 9/7a/18
am Meer 12/1c/44
Ampel, die, -n 11/4a/38
aneinander 14/6b/64
angeben, gibt an, angegeben
  12/6a/47
Ankunft, die, nur Sg. 13/9a/57
antworten auf 14/1/60
**anziehen, zieht an, angezogen
  9/6a/17**
Arbeitsstelle, die, -n 14/1a/60
sich ärgern über 14/1d/60
Arktis, die, nur Sg. 12/4a/46
Artikel, der, - 12/10a/49
Attraktion, die, -en 9/7a/18
auf dem Land 12/1c/44
aufstellen 8/8a/10
sich aufteilen 11/8a/40
auftreten, tritt auf, aufgetreten
  11/3a/37
Auslandsaufenthalt, der, -e
  14/1d/60
außer 12/6a/47
Äußerung, die, -en 12/10a/49

Austauschpartner, der, – 10/3a/23
Auswanderer, der, – 14/3a/61
Ausweis, der, -e 10/7b/25
auswendig 8/9a/11
auswendig lernen 8/4a/7
Auweia! 8/5c/8

B

baden 12/6a/47
BahnCard, die, -s 13/7b/56
Balkon, der, -e 10/5a/24
**Band, die, -s Musikgruppe
  9/3b/15**
Bau, der, Bauten 13/1a/52
bauen 12/Projekt/49
beachten 14/6a/64
Begleiter, der, – 11/8a/40
begrenzt 13/7b/56
**behalten, behält, behalten
  11/5a/38**
bekannt 8/8a/10
bemerken 14/6b/64
Bemerkung, die, -en 13/7b/56
Berg, der, -e 12/AT/43
Berufsaussichten, die, nur Pl.
  14/3a/61
Beruhigung, die, nur Sg. 10/3a/23
Besichtigung, die, -en 11/8a/40
**besprechen, bespricht, besprochen
  10/3a/23**
Beste, der/die/das, -n 9/2a/15
bestimmte 8/3a/7
bewölkt 12/2a/45
Bier, das, nur Sg. 9/1a/14
Bis bald! 9/1a/14
Bitte nicht! 13/3c/54
Bordrestaurant, das, -s 13/7b/56
braten, brät, gebraten 9/2a/15
Braut, die, "-e 9/4a/16
Bräutigam, der, -e 9/4a/16
brechen, bricht, gebrochen 8/7c/9
Brieffreundin, die, -nen 13/4b/55
Buchung, die, -en 13/7b/56

Bühne, die, -n 11/3a/37
Bund, der, "-e 12/6a/47
Bundesjugendspiele, die, nur Pl.
  8/3a/7
Bundesland, das, "-er
  12/Projekt/49
Bundestag, der, nur Sg. 11/AT/35
Burg, die, -en 13/1a/52
Busbahnhof, der, "-e 10/9d/26
Busfahrt, die, -en 11/8a/40

C

Chaos, das, nur Sg. 12/5a/46
Chef, der, -s 12/5a/46
Club, der, -s 8/8a/10
Clubszene, die, -n 11/3a/37

D

dabei sein 9/1a/14
Dach, das, "-er 13/1a/52
dagegen 13/3c/54
daran 9/3b/15
Dauer, die, nur Sg. 13/7b/56
dazwischen 14/6b/64
Denkmal, das, "-er 11/8a/40
Designer, der, - 11/1a/36
Designerin, die, -nen 11/1a/36
Deutschlandbesuch, der, -e
  9/1a/14
deutschsprachig 9/4c/16
direkt 11/8a/40
Diskussion, die, -en 9/7a/18
diskutieren 9/7a/18
diskutieren über 14/1c/60
DJ, der, -s 11/3a/37
doch 14/AT/59
Dom, der, -e 13/1a/52
dorthin 13/4b/55
drittgrößte 13/1a/52
drüben 11/6a/39
Dunkelheit, die, -en 10/11a/27

Wortliste

E

echt gut   9/3b/15

Ehrenurkunde, die, -n   8/3a/7

einblenden   13/7b/56

Eindruck, der, "-e   12/10a/49

Eingang, der, "-e   9/1a/14

*ein*laden, lädt *ein*, *ein*geladen   9/4c/16

Einsatz, der, "-e   8/8a/10

*ein*steigen, steig *ein*, *ein*gestiegen   8/8a/10

*ein*tragen, trägt *ein*, *ein*getragen   13/7b/56

Eintritt frei   9/7a/18

einverstanden sein   10/10a/26

Einverstanden.   9/8e/19

Eisbär, der, -en   12/4a/46

eisfrei   12/4a/46

Elektrogerät, das, -e   12/6a/47

Endspiel, das, -e   8/8a/10

Energie, die, -n   12/4e/46

Energiesparen, das, nur Sg.   12/6a/47

Energiesparlampe, die, -n   12/6a/47

Entschuldige!   8/5c/8

entwerfen, entwirft, entworfen   11/1a/36

entwickeln   11/8a/40

Entwurf, der, "-e   9/1a/14

Erdöl, das, nur Sg.   12/9a/48

Erfahrung, die, -en   10/4a/23

erfolgreich   8/8a/10

ergänzen   9/7a/18

Ergebnis, das, -se   8/7e/9

Ermäßigung, die, -en   11/9c/41

erreichen   8/3a/7

Ersparnis, das, -se   12/6a/47

EuroCity, der, -s   13/9a/57

Europapark, der, -s   13/3c/54

F

Fabrik, die, -en   13/1b/53

Fahrkarte, die, -n   11/7a/39

Fahrradmitnahme, die, -n   13/7b/56

Fahrradweg, der, -e   13/1a/52

Fahrradwerkstatt, die, "-en   12/Projekt/49

Fahrt, die, -en   13/4a/55

Fasching, der, nur Sg.   13/1a/52

Fasnacht, die, nur Sg.   9/Projekt/19

fast   12/10a/49

fehlen   11/8a/40

Fehler, der, -   10/3a/23

Feier, die, -n   9/4c/16

Fernsehturm, der, "-e   10/11a/27

Festival, das, -s   11/1b/36

feucht   12/AT/43

Feuersturm, der, "-e   12/4a/46

Feuerwerk, das, -e   9/7a/18

Filmfest, das, -e   11/1a/36

Filmfestival, das, -s   11/1a/36

Filmindustrie, die, -n   11/1a/36

Filmstar, der, -s   11/1a/36

Fingerhakeln, das, nur Sg.   8/Projekt/11

fließen, fließt, geflossen   11/1a/36

Flusshafen, der, "-   13/1a/52

Folklorefest, das, -e   9/7a/18

foulen   8/7c/9

Free-Fall-Tower, der, -   9/1a/14

Freizeitpark, der, -s   13/3c/54

fremd   11/7a/39

sich freuen über   14/1b/60

Frühlingsfest, das, -e   9/7a/18

Frühsommer, der, -   11/1a/36

Führung, die, -en   11/8a/40

Funkausstellung, die, -en   11/9a/41

furchtbar   12/1d/44

Fußballlegende, die, -n   8/8a/10

Fußballteam, das, -s   14/1b/60

Fußgängerzone, die, -n   13/1a/52

G

Gang, der, "-e   13/7b/56

Gas, das, -e   12/6a/47

Gastfamilie, die, -n   10/1b/22

Gastland, das, "-er   10/4a/23

Gastschwester, die, -n   10/4a/23

Gastvater, der, "-er   10/1b/22

gebrochen   8/7e/9

Geburtsdatum, das   10/4a/23

Gedächtnisweltmeisterschaft, die, -en   8/9a/11

gefährlich   12/AT/43

gehören   14/1b/60

gehören zu   11/1a/36

Gelegenheit, die, -en   9/7a/18

geraten, gerät, geraten   14/6b/64

Geschafft!   10/11b/27

Geschenkidee, die, -n   14/4a/62

gespannt   14/6b/64

gestorben   11/8a/40

gesund   12/9b/48

geteilt   11/2b/37

getrennt   11/2b/37

Gitarrist, der, -en   14/6e/65

Gleis, das, -e   10/9d/26

Gott sei Dank.   14/6c/65

Graffiti, das, -s   11/8a/40

Grenze, die, -n   11/2b/37

grinsen   14/6c/65

Großstadt, die, "-e   12/AT/43

Grund, der, "-e   14/3a/61

H

Halle, die, -n   8/1b/6

Halskette, die, -n   13/4a/55

halten von, hält von, gehalten von   14/1d/60

Hauptbahnhof, der, "-e   11/1a/36

Haupteingang, der, "-e   11/8a/40

Heimat, die, -en   14/3a/61

Heimatstadt, die, "-e   11/3a/37

Heimweh, das, nur Sg.   10/11b/27

heizen   12/9b/48

Heizung, die, -en   12/9b/48

Hektar, der, –   12/4a/46

herrlich   12/2b/45

hierher   11/3a/37

hin und zurück   13/7b/56

hintereinander   8/8a/10

Hintergrund, der, "-e   12/AT/43

*hinunter*fahren, fährt *hinunter*, *hinunter*gefahren   8/8a/10

Hitze, die, nur Sg.   12/2a/45

Hockeyplatz, der, "-e   8/1b/6

hoffentlich   10/3a/23

höflich   11/9c/41

Höhepunkt, der, -e   9/3b/15

hundert   11/3a/37

I

IC, der, -s   13/7b/56

ICE, der, -s   13/7a/56

ideal   10/4a/23

Improvisationstheater, das, –   11/8a/40

Industrie, die, -n   13/1a/52

Industriestadt, die, "-e   13/1a/52

sich **informieren**   13/3b/54

Initiative, die, -n   12/Projekt/49

insgesamt   11/3a/37

Intercity, der, -s   13/7b/56

Intercity-Express, der, -e   13/7b/56

sich **interessieren für**   14/1b/60

J

Ja, natürlich.   10/9b/26

Jahrhundert, das, -e   9/7a/18

Judotraining, das, -s   8/5c/8

Jugendkulturfestival, das, -s   9/7a/18

jugendlich   9/7a/18

Jugendnationalmannschaft, die, -en   8/8a/10

K

Kalender, der, -   13/7b/56
Kälte, die, nur Sg.   12/2a/45
kämpfen   14/6b/64
Karneval, der, -s   9/AT/13
Karnevalslied, das, -er   9/3b/15
Karnevalswagen, der, -   9/3b/15
Karnevalszug, der, "-e   9/3a/15
Karnevalsmetropole, die, -n
   13/1a/52
Karriere, die, -n   8/8a/10
Karte, die, -n   11/9a/41
Kaufhaus, das, "-er   11/8a/40
kaum   11/8a/40
Kinderbetreuung, die, -en
   14/3a/61
klappen   10/9b/26
klasse   9/3b/15
Klassenfahrt, die, -en   11/8a/40
Klassenkamerad, der, -en
   10/11c/27
klassisch   11/3a/37
Klima, das, Klimata   10/2-/22
Klinik, die, -en   8/7b/9
km/h (Kilometer pro Stunde)
   12/4a/46
Knie, das, -e   8/7e/9
komisch   10/11a/27
kommen auf   14/6b/64
Kopfweh, das, nur Sg.   8/7e/9
Krankenhaus, das, "-er   8/7e/9
Krankheit, die, -en   12/9a/48
Kreuzung, die, -en   11/4a/38
Krönung, die, -en   9/7a/18
kulturell   11/1a/36
Kulturprogramm, das, -e   9/7a/18
Kuppel, die, -n   11/8a/40
kurz vor   9/3b/15
Kuscheltier, das, -e   10/5c/24

L

lächeln   14/6b/64
Ladegerät, das, -e   12/6a/47
Lämpchen, das, –   12/6a/47
Land, das, "-er   10/2/22
Langläuferin, die, -nen   8/8a/10
Laufwettbewerb, der, -e   9/7a/18
lebendig   10/11a/27
Lebkuchenhaus, das, "-er
   9/4a/16
legen, legt, gelegt   10/8a/25
Leichtathletik, die, nur Sg.   8/3a/7
Leser, der, –   12/10a/49
Leserin, die, -nen   12/10a/49
liebste   13/6a/55
Liter, der, –   9/1a/14

Live-Musik, die, nur Sg.   9/7a/18
Lohn, der, "-e   14/3a/61
Lösung, die, -en   12/Projekt/49
Luft, die, "-e   8/8a/10
Luftverschmutzung, die, nur Sg.
   12/9a/48

M

Mannschaft, die, -en   8/1c/6
Markt, der, "-e   9/7a/18
Marktrecht, das, -e   9/7a/18
Mauerrest, der, -e   11/8a/40
meckern   14/5b/63
Medienstadt, die, "-e   13/1a/52
Meisterschaft, die, -en   8/8a/10
Metropole, die, -n   11/1a/36
Migrationsgeschichte, die, -n
   14/3a/61
Ministerium, die, Ministerien
   11/1a/36
Minute, die, -n   8/6b/8
Mio. (Million, die, -en)   8/8a/10
Mir egal.   14/6b/64
Mischung, die, -en   11/8a/40
Mistwetter, das, nur Sg.   12/2b/45
miteinander   14/6b/64
mitmachen   9/8d/19
mittelalterlich   9/7a/18
mittelgroß   10/4a/23
Mode-Stadt, die, "-e   11/1a/36
Möglichkeit, die, -en   13/7b/56
Mülleimer, der, -   12/10a/49
Müllproblem, das, -e
   12/Projekt/49
Mülltrennung, die, -en   12/6a/47
multikulturell   11/1a/36
Musiker, der, –   9/3a/15
Musikhauptstadt, die, "-e
   11/3a/37
Musikproduzent, der, -en
   13/1a/52

N

Na endlich!   8/5a/8
nacheinander   8/8a/10
Nachteil, der, -e   12/1c/44
nachts   9/3b/15
Nähe, die, nur Sg.   11/1a/36
Nationalmannschaft, die, -en
   8/8a/10
Nationalspieler, der, -   8/8a/10
Natur, die, -en   12/1d/44
Naturschutz, der, nur Sg.
   12/6a/47
Nee.   13/3c/54
negativ   12/10a/49

nennen, nennt, genannt
   9/1a/14
Neue, das, nur Sg.   14/AT/59
nicht nur ... sondern auch
   10/1b/22
nicht so   13/3c/54
Null, die, -en   8/9a/11

O

Oase, die, -n   12/AT/43
ob   9/1b/14
Obdachlose, der/die, -n   11/8a/40
offen sein   10/4a/23
Öffnungszeit, die, -en   11/9a/41
ökologisch   12/Projekt/49
Ökostadt, die, "-e   13/1a/52
Oktoberfest, das, -e   9/1a/14
Olympiastadion, das, Olympiastadien
   11/7a/39
Olympische Spiele, die, nur Pl.
   8/8a/10
Open-Air-Disco, die, -s   9/7a/18
Open-Air-Konzert, das, -e   9/7a/18
Oper, die, -n   11/3a/37
Opernhaus, das, "-er   11/3a/37
Ordnung, die, -en   10/9b/26
Organisation, die, -en   12/6b/47
Orkan, der, -e   12/4a/46
Ort, der, -e   11/7a/39
Osterei, das, -er   9/4a/16
Osterhase, der, -n   9/4a/16

P

ein paarmal   13/3c/54
Parlament, das, -e   11/AT/35
Passage, die, -n   10/10a/26
Pausenhof, der, "-e   14/6b/64
Pech, das, nur Sg.   8/7c/9
Pessimist, der, -en   12/10a/49
Philharmonie, die, -n   11/3a/37
Pinguin, der, -e   12/AT/43
Plastiktüte, die, -n   12/6a/47
Politikerin, die, -nen   11/8b/41
politisch   9/7a/18
Popakademie, die, -n   13/1a/52
Popfestival, das, -s   11/3a/37
Popstar, der, -s   13/4a/55
positiv   10/11c/27
präsentieren   9/3a/15
pro Tag   12/6b/47
Produkt, das, -e   13/7b/56
Profi, der, -s   8/1c/6
Projekttag, der, -e   9/3b/15
Prozent, das, -e   12/6a/47
Punktzahl, die, -en   8/3a/7
Puppe, die, -n   14/4d/62

Q

Qualifikation, die, -en   8/8a/10
Quatsch, der, nur Sg.   14/6f/65
Quelle, die, -n   13/5-/55
Quellenfest, das, -e   9/7a/18
Quellenkönigin, die, -nen   9/7a/18

R

Rad, das, "-er   8/7e/9
Rahmenprogramm, das, -e   9/7a/18
Rap, der, -s   9/7a/18
raten, rät, geraten   11/8a/40
ratlos   14/6c/65
rechnen   8/4a/7
Recycling, das, nur Sg.   12/7a/48
Recyclingpapier, das, -e   12/7a/48
Redaktion, die, -nen   12/6a/47
Regenchaos, das, nur Sg.   12/4a/46
Regenwasser, das, nur Sg.
    12/Projekt/49
Regierung, die, -en   11/1a/36
Regierungsviertel, das, –   11/1a/36
Region, die, -en   9/7a/18
Regionalexpress, der, -e   13/9a/57
regnerisch   12/2a/45
Reichstag, der, -e   11/7a/39
Reichstagsgebäude, das, -e
    11/1a/36
Reihenfolge, die, -n   8/9a/11
Rekord, der, -e   8/8a/10
Rennfahren, das, nur Sg.   8/8d/10
Rennfahrer, der, -   8/8a/10
Reservierung, die, -en   13/9a/57
reservierungspflichtig   13/7b/56
Reststück, das, -e   11/2b/37
retten   12/6a/47
Richtung, die, -en   11/7a/39
Riesenerfolg, der, -e   14/6e/65
Riesenüberraschung, die, -en
    8/8a/10
riesig   11/8a/40
Ring, der, -e   13/4a/55
Römer, der, –   13/1a/52
Römerkastell, das, -e   9/7a/18
Rosenmontagszug, der, "-e
    9/3b/15
Rückkehr, die, nur Sg.   14/3a/61
Rückweg, der, -e   11/8a/40
rund   9/7a/18
runterholen, holt runter, runter-
    geholt   14/6c/65
rutschen   14/6b/64

S

Sachen, nur Pl.   9/3b/15
sachlich   12/6a/47
Saison, die, -s   8/8a/10
Saisonlauf, der, "-e   8/8a/10
Sängerin, die, -nen   11/3a/37
saukalt   12/2b/45
S-Bahn, die, -en   11/AT/35
Schanze, die, -n   8/8a/10
schäumen vor Wut   14/6b/64
Schauspielerin, die, -nen
    11/3a/37
Schausteller, der, –   9/7a/18
Schiedsrichter, der, –   8/1b/6
schießen, schießt, geschossen
    8/8a/10
Schiffer, der, –   13/1a/52
Schimpfwort, das, "-er   14/6b/64
Schläger, der, –   8/1b/6
Schloss, das, "-er   11/6a/39
Schlossfest, das, -e   9/7a/18
Schlüssel, der, –   8/6b/8
schmelzen, schmilzt, geschmolzen
    12/9a/48
Schmerz, der, -en   8/7e/9
Schulanfang, der, "-e   9/4d/16
Schulfest, das, -e   9/AT/13
Schulter, die, -n   8/7e/9
Schuluniform, die, -en   10/AT/21
Schulweg, der, -e   10/1b/22
Schutz, der, nur Sg.   12/7a/48
Sehenswürdigkeit, die, -en
    11/1a/36
Selbstbewusstsein, das, nur Sg.
    8/AT/5
setzen, sitzt, gesessen   10/7b/25
Show, die, -s   11/9a/41
sicher   10/3a/23
Siebenmeter, der, –   8/1b/6
Sieg, der, -e   8/8a/10
Siegerurkunde, die, -n   8/3a/7
Siegessäule, die, -n   11/8a/40
Siegesserie, die, -n   8/8a/10
singen über, singt über, gesungen
    über   11/3a/37
Situation, die, -en   14/2a/61
Sitz, der, -e   11/1a/36
Skihalle, die, -n   10/11a/27
Skispringer, der, -   8/8a/10
Skisprung-Weltcup, der, -s   8/8a/10
so   9/1a/14
So ein Mistwetter!   12/2b/45
So ein Pech!   8/7c/9
so viel   9/1b/14
so weit sein   11/8a/40
so weit wie   8/3c/7

So, das war es.   12/6a/47
Sofasportler, der, –   8/2a/6
Solaranlage, die, -n   12/Projekt/49
sondern   10/1b/22
sondern auch   10/2-/22
sonnig   9/1a/14
Sorry!   8/5c/8
Spaß machen   12/6a/47
Speicherstadt, die, "-e   10/10a/26
Spieler, der, -   8/1b/6
Spielerin, die, -nen   8/1b/6
Spielkonsole, die, -n   12/6a/47
spontan   11/8a/40
Sportfanatiker, der, -   8/2a/6
Sportlerin, die, -nen   8/3a/7
Sportmuffel, der, -   8/2a/6
Sportplatz, der, "-e   8/1c/6
Sprung, der, "-e   8/8a/10
Stadion, das, Stadien   11/8a/40
Stadtgebiet, das, -e   11/1a/36
Stadtrundfahrt, die, -en   11/1a/36
Stadtteil, der, -e   11/7a/39
Stand-by, das, -s   12/6a/47
Stand-by-Funktion, die, -en
    12/6a/47
Stein, der, -e   13/1b/53
Stichwort, das, Stichworte/
    Stichwörter   11/8a/40
Stofftasche, die, -n   12/6a/47
Strandcafé, das, -s   11/1a/36
Straßencafé, das, -s   11/1c/36
Straßenfest, das, -e   9/7a/18
Strecke, die, -n   13/9a/57
Streiterei, die, -en   14/6b/64
Strom, der, hier nur Sg. (elek-
    trischer Strom)   12/6a/47
Stromfresser, der, -   12/6a/47
Stromsparen, das, nur Sg.   12/6/47
Studio, das, -s   13/1a/52
stürmisch   12/2a/45
stürzen   8/7e/9
supertoll   9/1a/14

T

Tafelstift, der, -e   14/6c/65
Tannenbaum, der, "-e   9/4a/16
tanzen gehen   10/4a/23
tauchen   8/4a/7
Tausend, das, -e   13/1a/52
teilnehmen an, nimmt teil,
    teilgenommen   9/3b/15
Teilnehmerin, die, -nen   8/8a/10
Teilnehmerurkunde, die, -n   8/3a/7
Termin, der, -e   11/8a/40
Thema, das, Themen   9/7a/18
Tierpark, der, -s   10/10a/26

Titel, der, - 8/8a/10

Toilette, die, -n 12/Projekt/49

Tonne, die, - 9/3b/15

Tor, das, -e 11/AT/35

Tradition, die, -en 9/6a/17

sich trauen 14/6c/65

träumen 10/11a/27

Trauung, die, -en 9/4a/16

sich treffen, trifft sich, sich getroffen 11/1a/36

Trinkwasser, das, nur Sg. 12/9a/48

trocken 12/2a/45

Trockenheit, die, -en 12/9a/48

turnen 8/1a/6

Turnhalle, die, -n 8/7e/9

U

u.a. (unter anderem) 11/1a/36

U-Bahn, die, -en 11/6a/39

über (= mehr als) 11/1a/36

Überschwemmung, die, -en 12/4/46

umso mehr 9/1a/14

umsteigen, steigt um, umgestiegen 11/6a/39

Umwelt, die, nur Sg. 12/6a/47

umweltfreundlich 12/4e/46

Umweltprojekt, das, -e 12/Projekt/49

Umweltschutz, der, nur Sg. 12/6a/47

Umweltschützer, der, - 12/10a/49

Umweltschutzorganisation, die, -en 12/7a/48

Umzug, der, "-e 14/AT/59

Unfall, der, "-e 8/7e/9

Universität, die, -en 14/1b/60

Unsinn, der, nur Sg. 9/4d/16

Unterschrift, die, -en 10/4a/23

unterstützen 12/Projekt/49

Ups! 8/5c/8

Urkunde, die, -n 8/3a/7

Urlauber, der, - 12/4d/46

Urwald, der, "-er 12/AT/43

V

Verabredung, die, -en 8/5c/8

Verbindung, die, -en 13/9a/57

verbrauchen 12/6a/47

Vergnügungspark, der, -s 13/1a/52

verkaufsoffen 9/7a/18

Verkehr, der, nur Sg. 10/1b/22

sich verkleiden 9/3b/15

sich verlaufen, verläuft sich, sich verlaufen 11/8a/40

verletzt 8/7e/9

Verpackungsmüll, der, nur Sg. 12/10a/49

verpassen 11/8a/40

verreisen 13/3b/54

verschieden 11/8b/41

verschmutzen 12/9b/48

Verspätung, die, -en 8/6b/8

verwenden 12/4e/46

Verwendung, die, -en 12/Projekt/49

Viertel, das, - 11/8a/40

Volksfest, das, -e 9/AT/13

vor allem 11/1a/36

Vordergrund, der, "-e 12/AT/43

Vorschlag, der, "-e 12/6b/47

Vorstellung, die, -en 11/9a/41

Vorteil, der, -e 12/1c/44

W

Wald, der, "-er 11/1a/36

wandern 12/1d/44

warten auf 14/1d/60

was für ein 12/2b/45

Wasserfall, der, "-e 13/1a/52

wechseln 8/8a/10

Wegbeschreibung, die, -en 11/9d/41

wegziehen, zieht weg, weggezogen 14/3a/61

Weihnachtsplätzchen, das, – 9/4a/16

Wein, der, -e 9/7a/18

*weiter*fahren, fährt *weiter, weiter*gefahren 8/7e/9

weiterspielen 8/7c/9

Weitsprung, der, "-e 8/3a/7

weltberühmt 11/3a/37

Weltmeister, der, - 8/8a/10

Weltmeisterschaft, die, -en 8/8/10

weltweit 11/1a/36

werfen, wirft, geworfen 8/3c/7

Wettbewerb, der, -e 12/Proj-b/49

Wie langweilig! 12/1d/44

windig 12/2a/45

Wirtschaft, die, -en 13/1a/52

WM, die, -s 8/8a/10

Wolke, die, -n 12/2a/45

worum 14/6f/65

sich wundern 14/6c/65

wunderschön 10/11a/27

Wüste, die, -n 12/AT/43

Z

Zähneputzen, das, nur Sg. 12/6a/47

zeichnen 8/4a/7

ziemlich 11/6a/39

zuletzt 9/6a/17

*zurück*fahren, fährt *zurück, zurück*gefahren 10/11a/27

zusammenkommen 11/8b/41

Zuschauer, der, – 9/3b/15

Zuwanderer, der, – 14/3a/61

Zweck, der, -e 14/5b/63

Zwerg-Macho, der, -s 14/6b/64

Zwischenhalt, der, -e 13/7b/56

Liste einiger Verben mit Dativ

antworten	gratulieren	raten	weh tun
danken	guttun	schmecken	
gefallen	helfen	stehen	
gehören	passen	vertrauen	

Liste einiger Verben mit Dativ und Akkusativ

anbieten	geben	mitbringen	wünschen
empfehlen	holen	schenken	zeigen
erklären	kaufen	schicken	
erzählen	leihen	schreiben	

Liste unregelmäßiger Verben

In dieser Liste findest du wichtige unregelmäßige Verben. Zuerst steht der Infinitiv (beginnen), dann die 3. Person Singular Präsens (er/es/sie beginnt) und dann die Perfektform (er/es/sie hat begonnen).

Die Perfektformen mit sein sind rot markiert (ist *ab*gehauen). Die trennbaren Vorsilben sind *kursiv* markiert (*ab*hauen).

Infinitiv	Präsens – 3. Person Sg. er/es/sie	Perfekt – 3. Person Sg. er/es/sie
*ab*hauen	haut … *ab*	ist *ab*gehauen
*an*bieten	bietet … *an*	hat *an*geboten
*an*fangen	fängt … *an*	hat *an*gefangen
*an*ziehen	zieht … *an*	hat *an*gezogen
*auf*stehen	steht … *auf*	ist *auf*gestanden
*auf*treten	tritt … *auf*	ist *auf*getreten
*aus*leihen	leiht … aus	ausgeliehen
beginnen	beginnt	hat begonnen
behalten	behält	hat behalten
beißen	beißt	hat gebissen
bekommen	bekommt	hat bekommen
benennen	benennt	hat benannt
bleiben	bleibt	ist geblieben
bringen	bringt	hat gebracht
braten	brät	hat gebraten
brechen	bricht	hat gebrochen
brennen	brennt	hat gebrannt
bringen	bringt	hat gebracht
*dabei*haben	hat … *dabei*	hat *dabei*gehabt
denken	denkt	hat gedacht
dürfen	darf	hat gedurft/dürfen
*ein*fallen	fällt … *ein*	ist *ein*gefallen
*ein*laden	lädt … *ein*	hat *ein*geladen
*ein*schlafen	schläft … *ein*	ist *ein*geschlafen
*ein*steigen	steigt … *ein*	ist *ein*gestiegen
*ein*tragen	trägt … *ein*	hat *ein*getragen
entwerfen	entwirft	hat entworfen
erfinden	erfindet	hat erfunden
erraten	errät	hat erraten
essen	isst	hat gegessen
fahren	fährt	ist gefahren
finden	findet	hat gefunden
fliegen	fliegt	ist geflogen
fließen	fließt	ist geflossen
fressen	frisst	hat gefressen
geben	gibt	hat gegeben
geraten	gerät	ist geraten
gefallen	gefällt	hat gefallen
gehen	geht	ist gegangen
haben	hat	hat gehabt
halten	hält	hat gehalten
hängen	hängt	hat gehängt/gehangen
*herunter*laden	lädt … *herunter*	hat *herunter*geladen
heißen	heißt	hat geheißen
helfen	hilft	hat geholfen
*hin*fallen	fällt … *hin*	ist *hin*gefallen
*hoch*laden	lädt … *hoch*	hat *hoch*geladen

Infinitiv	Präsens – 3. Person Sg. er/es/sie	Perfekt – 3. Person Sg. er/es/sie
kennen	kennt	hat gekannt
kommen	kommt	ist gekommen
können	kann	hat gekonnt
lassen	lässt	hat gelassen/lassen
laufen	läuft	ist gelaufen
leiden	litt	hat gelitten
lesen	liest	hat gelesen
liegen	liegt	hat gelegen
mögen	mag	hat gemocht
müssen	muss	hat gemusst/müssen
nehmen	nimmt	hat genommen
nennen	nennt	hat genannt
passieren	passiert	ist passiert
raten	rät	hat geraten
reiten	reitet	ist geritten
riechen	riecht	hat gerochen
*runter*laden	lädt … *runter*	hat *runter*geladen
rufen	ruft	hat gerufen
scheinen	scheint	hat geschienen
schießen	schießt	hat geschossen
schlafen	schläft	hat geschlafen
schließen	schließt	hat geschlossen
schreiben	schreibt	hat geschrieben
schwimmen	schwimmt	ist geschwommen
sehen	sieht	hat gesehen
setzen	sitzt	hat gesessen
singen	singt	hat gesungen
sitzen	sitzt	hat gesessen
sprechen	spricht	hat gesprochen
springen	springt	ist gesprungen
stehen	steht	hat gestanden
steigen	steigt	ist gestiegen
streiten sich	streitet sich	hat sich gestritten
tragen	trägt	hat getragen
treffen sich	trifft sich	hat sich getroffen
trinken	trinkt	hat getrunken
*um*steigen	steigt … *um*	ist *um*gestiegen
verbinden	verbindet	hat verbunden
vergessen	vergisst	hat vergessen
vergleichen	vergleicht	hat verglichen
verlassen	verlässt	hat verlassen
verlaufen sich	verläuft sich	hat sich verlaufen
verlieren	verliert	hat verloren
verstehen	versteht	hat verstanden
vorgehen	geht … vor	ist vorgegangen
waschen	wäscht	hat gewaschen
*weg*ziehen	zieht … *weg*	ist *weg*gezogen
*weh*tun	tut … *weh*	hat *weh*getan
werfen	wirft	hat geworfen
wissen	weiß	hat gewusst
wollen	will	hat gewollt/wollen
*zurück*ziehen sich	zieht … sich *zurück*	hat sich *zurück*gezogen

Bildquellen

Cover Fotolia/Photographee.eu – **S. 4** 8: Shutterstock/Nildo Scoop; 9: Shutterstock/Intrepix; 10: Cornelsen Schulverlage/Hugo Herold Fotokunst; Kleine Pause: Shutterstock/Nadezda Grapes; 11: picture alliance/dpa; 12: Shutterstock/kropic1; 13: Fotolia/World travel images; 14: Cornelsen Schulverlage/Hugo Herold Fotokunst; Große Pause: Shutterstock/Alexander Ishchenko – **S. 5** A: Shutterstock/lev radin; B: Shutterstock/Stefan Schurr; C: Shutterstock/Nildo Scoop; D: Shutterstock/Ilike; E: Shutterstock/Maya Kruchankova; Hintergrund: Fotolia/Max Diesel – **S. 7** Mitte: Fotolia/blachowicz102; rechts: Shutterstock/Denis Kuvaev – **S. 8** links: Fotolia/DoraZett; rechts: Fotolia/Sabphoto – **S. 9** Cornelsen Schulverlage/Lutz Rohrmann – **S. 10** A: imago; B: mauritius images/imageBROKER/mirafoto; C: mauritius images/imageBROKER/Uwe Kraft – **S. 11** oben: picture alliance/ZB; unten: REUTERS/Michael Dalder – **S. 13** A: Shutterstock/Intrepix; B: Shutterstock/Lars Koch; C: Shutterstock/Matyas Rehak; D: Cornelsen Schulverlage\Lutz Rohrmann; Hintergrund: Fotolia/Max Diesel – **S. 14** Shutterstock/Anselm Baumgart – **S. 15** Mitte oben: Cornelsen Schulverlage/Lutz Rohrmann; Mitte unten: Shutterstock/Axel Lauer – **S. 16** A: Shutterstock/Kzenon; B: Shutterstock/JanVlcek; C: Shutterstock/joingate; D: Shutterstock/Shaiith – **S. 17** Andres Unterladtstaetter, Santa Cruz, Bolivia – **S. 18** A: Shutterstock /Kirill Livshitskiy; B: Shutterstock/Circumnavigation; F: Fotolia/Martina Berg; G: Fotolia/libertone Gennaro; H: Fotolia/Dusan Kostic – **S. 19** oben Mitte: Shutterstock/Antonio Guillem; oben rechts: Shutterstock/aleg baranau; unten Mitte: Fotolia/lucazzitto; unten rechts: Fotolia/Matthias Krüttgen – **S. 21** A: Shutterstock/Goodluz; AnikaNes; B: Shutterstock/auremar; C: Cornelsen Schulverlage/Hugo Herold Fotokunst; D: Shutterstock/Riccardo Piccinini; Joe Gough; Hintergrund: Fotolia/Max Diesel – **S. 22** oben links: Shutterstock/Riccardo Piccinini; oben Mitte: Shutterstock/Goodluz; oben rechts: Shutterstock/Maria Bobrova; Verkehr: Shutterstock/Christian Mueller; Essen: Clip Dealer/st-fotograf; Wohnen: Shutterstock/Schneider Foto; Freizeit: Shutterstock/Julia Pivovarova; Schule: Cornelsen Schulverlage/Hugo Herold Fotokunst; Klima: Fotolia/Paul Maguire; – **S. 23** Cornelsen Schulverlage/Hugo Herold Fotokunst – **S. 24** Cornelsen Schulverlage/Hugo Herold Fotokunst – **S. 25** Cornelsen Schulverlage/Hugo Herold Fotokunst – **S. 26** oben links: Shutterstock/racorn; oben rechts: Shutterstock/racorn; unten links: Fotolia/NilsZ; unten Mitte: Fotolia/Fotowerner; unten rechts: Shutterstock/Goran Bogicevic – **S. 31** Cornelsen Schulverlage/Hugo Herold Fotokunst – **S. 33** oben: Cornelsen Schulverlage/Wildfang; 1. Reihe links: shutterstock/pavalena; 1. Reihe Mitte: Shutterstock/Trueffelpix; 1. Reihe rechts: Shutterstock/Yulia Buchatskaya; 2. Reihe unten: Shutterstock/Nadezda Grapes – **S. 34** A-F: Cornelsen Schulverlage/Wildfang; unten Mitte: Shutterstock/blambca; unten rechts: Shutterstock/Alexey VI B – **S. 35** A: picture alliance/dpa; B: Cornelsen Schulverlage/Lutz Rohrmann; C: Fotolia/Ekaterina Pokrovsky; D: Shutterstock/360b; Hintergrund: Fotolia/Max Diesel – **S. 36** oben rechts: Fraus Verlag/Karel Brož; Mitte 1. von oben: Fotolia/gertbunt; 2. von oben: TOPICMedia Service; 3. von oben: Shutterstock/vipflash; 4. von oben: Shutterstock/Axel Lauer – **S. 37** oben rechts: Shutterstock/LensTravel, oben Mitte: Mauritius/Juergen Schwarz; unten links: Mauritius/Juergen Schwarz, unten Mitte: picture-alliance/dpa; unten rechts: imago; Shutterstock/cappi thompson – **S. 39** Shutterstock/badahos – **S. 40** 1. von oben: Fotolia/philipus; 2. von oben: Shutterstock/Philip Bird LRPS CPAGB; 3. von oben: Fotolia/Katja Xenikis; 4. von oben: TOPICMedia/imagebroker/Julia Woodhouse; 5. von oben: Shutterstock/s_bukley; 6. von oben: Christian Fessel – **S. 43** A: Shutterstock/Volodymyr Goinyk; B: Shutterstock/guentermanaus; C: Shutterstock/Gail Johnson; D: Shutterstock/Lukasz Kurbiel; E: Shutterstock/kropic1; F: Shutterstock/Alexander Chaikin; Hintergrund: Fotolia/Max Diesel – **S. 44** oben Mitte: Shutterstock/Siberia - Video and Photo; oben rechts: Shutterstock/eurobanks; unten Mitte: Cornelsen Schulverlage/Hugo Herold Fotokunst – **S. 46** A: Shutterstock/FloridaStock; B: Shutterstock/Dariush M; C: Shutterstock/Bara22; D: Shutterstoc/Harvepino; E: Shutterstock/Bruno Ismael Silva Alves – **S. 47** A: Shutterstock/tab62; B: Fotolia/Aamon; C: Fotolia/Pictures4you; D: Fotolia/Bjoern Wylezich – **S. 49** oben: Shutterstock/gpointstudio; unten: Shutterstock/racorn – **S. 51** A: Shutterstock/Olaf Schulz; B: Fotolia/Sergey Borisov; C: Fotolia/World travel images; D: Shutterstock/Dan Breckwoldt; E: Cornelsen Schulverlage/Lutz Rohrmann; Hintergrund: Fotolia/Max Diesel – **S. 52** 1. von oben: Fotolia/blende40; 2. von oben: F1online; 3. von oben: Europa-Park GmbH; 4. von oben: picture-alliance/dpa; 5. von oben: Fotolia/Circumnavigation; 6. von oben: Shutterstock/withGod – **S. 53** links: Shutterstock/Scirocco340; Mitte links: Shutterstock/Boris Stroujko; Mitte rechts: Shutterstock/Volker Rauch; rechts: Shutterstock/Jiri Papousek – **S. 54** A: Fotolia/Diana Kosaric; B: Fotolia/Tatjana Balzer; C: Shutterstock/Olgysha; D: Europa-Park GmbH; Cornelsen Schulverlage/Hugo Herold Fotokunst – **S. 55** Fotolia/Clemens Schüßler – **S. 56** 1. Reihe links: Deutsche Bahn AG, 1. Reihe Mitte: Deutsche Bahn AG/Wolfgang Klee; 1. Reihe rechts: Deutsche Bahn AG/Hans-Joachim Kirsch; 2. Reihe Mitte: Deutsche Bahn AG/Bernd Lammel; 2. Reihe links: Deutsche Bahn AG/DB Systel GmbH/Frank Barteld – **S. 57** Deutsche Bahn AG – **S. 59** A: Shutterstock/Ilike; B: Cornelsen Schulverlage/Hugo Herold Fotokunst; C: Cornelsen Schulverlage/Hugo Herold Fotokunst; D: Cornelsen Schulverlage/Hugo Herold Fotokunst; Hintergrund: Fotolia/Max Diesel – **S. 60** Cornelsen Schulverlage/Hugo Herold Fotokunst – **S. 61** Cornelsen Schulverlage/Hugo Herold Fotokunst – **S. 62** 1. Reihe links: Shutterstock/chromatos; 1. Reihe Mitte: Shutterstock/HSNphotography; 1. Reihe rechts: Shutterstock/kropic1; 2. Reihe links: Shutterstock/Evgeny Karandaev; 2. Reihe Mitte: Shutterstock/Surrphoto; 2. Reihe rechts: Shutterstock/Digital Genetics – **S. 63** A: Shutterstock/CandyBox Images; B: Shutterstock/littleny; C: Shutterstock/dwphotos; D: Cornelsen Schulverlage/Hugo Herold Fotokunst; E: Shutterstock/Syda Productions; F: Shutterstock/Ruslan Guzov; – **S. 67** Shutterstock/Alexander Ishchenko – **S. 68** links: Shutterstock/Christian Bertrand; rechts: Shutterstock/Andrija Kovac – **S. 69** oben: Shutterstock/clearlens; unten: akg-images – **S. 70** 1: Shutterstock/Skryl Sergey; 2: Shutterstock/DVARG; 3: Shutterstock/Tele52; 4: Shutterstock/Artco; 5: Shutterstock/Pixe Embargo; 6: Shutterstock/kstudija; 7: Shutterstock/BACO; 8: Shutterstock/block23 – **S. 71** alle: Cornelsen Schulverlage/Wildfang – **S. 72** alle Fotos: Cornelsen Schulverlage/Wildfang

Karten/Grafiken

U2 Cornelsen Schulverlage/Carlos Borrell – **U3, S. 72** Cornelsen Schulverlage/Dr. Volker Binder

Textquellen

S. 32 Franz Hohler: „Der Briefkasten" aus „Karawane am Boden des Milchkrugs. Sammlung Luchterhand, Band 2068" Luchterhand Verlag, copyright © 2009 by ProLitteris CH-8033 Zürich – **S. 69** Heinrich Heine: „Ich weiss nicht was soll es bedeuten", Gedichte fürs Gedächtnis, ausgewählt und kommentiert von Ulla Hahn, DVA, 1999, Seite 126